BUR

PAULA SARACCO

Giacomo Leopardi

Canti

introduzione e note di FRANCO BRIOSCHI

Biblioteca Universale Rizzoli

ISBN 88-17-13003-6

prima edizione: aprile 1974
sesta edizione: febbraio 1988

CRONOLOGIA DELLA VITA E DELLE OPERE

1798 *29 giugno* Giacomo Leopardi nasce a Recanati, dal conte Monaldo e Adelaide Antici.

1803 L'amministrazione dei beni familiari è tolta a Monaldo, che si ritira nella sua velleitaria attività di letterato dilettante, e passa alla moglie, donna dura e energica; le finanze saranno risanate, ma l'atmosfera di casa Leopardi sarà caratterizzata dalla sua indole severa, bigotta, povera d'affetti.

1807 Giacomo, con i fratelli minori Carlo e Paolina, inizia i suoi studi sotto la guida del precettore don Sebastiano Sanchini e del pedagogo don Vincenzo Diotallevi.

1809 È la data della prima composizione poetica, il sonetto *La morte di Ettore*. Seguono canzonette arcadiche, fantasie bibliche e classiche, variazioni umoristiche intorno alla cronaca familiare: sono i primi tentativi di ritagliare, all'interno di un'educazione controriformistica, un proprio spazio autonomo.

1810-1811 Il Leopardi intensifica la sua operosità letteraria: poemetti, epigrammi, prose filosofiche, e una tragedia l'anno seguente: *Pompeo in Egitto*.

1813-1816 Inizia da solo lo studio del greco; si dedica a ricerche erudite (*Storia dell'Astronomia, Saggio sopra gli errori popolari degli antichi*) e a varie indagini filologiche sorprendenti per il rigore e la precisione inusitata (in questo campo egli acquisterà da solo una competenza che ha pochissimi riscontri nell'Italia del tempo e meraviglierà studiosi stranieri come il Niebuhr). Fra le molte traduzioni, importante quella della *Batracomiomachia* pseudo-omerica, che riprenderà altre due volte e sul cui canovaccio, negli ultimi anni, si innesteranno i *Paralipomeni*. Sposa le idee politiche, ultralegittimiste, del padre: come testimonia l'*Orazione agli Italiani, in occasione della liberazione del Piceno.* Esordisce con le sue prime pubblicazioni: *Notizie istoriche e geografiche sulla città e chiesa arcivescovile di Damiata* (Loreto 1816); la traduzione del primo libro dell'*Odissea* e altri saggi di traduzione sulla rivista di un editore milanese, Fortunato Stella, « Lo spettatore italiano e straniero ». In una *Lettera ai compilatori della Biblioteca Italiana*, non pubblicata, prende posizione nella nascente polemica sul romanticismo contro Madame de Staël e a favore dei classicisti. Scrive la cantica *Appressamento della morte*, un cui frammento sarà accolto nel '35 fra i *Canti* (è il XXXIX).

1817 Pubblica sullo « Spettatore » l'*Inno a Nettuno*, fingendo trattarsi della traduzione da un originale greco, e due odi apocrife in greco, presentate come autentiche. Innamoratosi, o credendosi innamorato, della cugina Gertrude Cassi, scrive *Il primo amore*. Inizia la sua amicizia epistolare con Pietro Giordani, che lo incoraggia nei suoi entusiasmi letterari, orienta il suo gusto, riceve le prime confessioni della sua infelicità fisica e sentimentale. Comincia a prendere sistematicamente nota dei suoi progetti, meditazioni estetiche e filosofiche, pensieri di lingua e di costume, nello *Zibaldone*, il grande diario intellettuale che continuerà fino al '32.

1818 Compone il *Discorso di un italiano intorno alla poesia romantica*, prima trattazione sistematica della sua originale poetica. Si conclude la sua conversione politica: è ora patriota, repubblicano, democratico: scrive *All'Italia* e *Sopra il monumento di Dante*. Ultima eco dell'amore per la Cassi, una seconda elegia che diventerà il frammento XXXVIII dei *Canti*.

1819 È un anno decisivo: il suo stato di salute lo obbliga a sospendere per alcuni mesi gli studi; è una spinta a chiarire la propria condizione di solitudine, di noia, e a maturare il suo ancora indeterminato pessimismo. La ribellione all'ambiente familiare, in cui soffoca la sua ansia di sbocchi e di espansione, culmina in un tentativo poi rientrato di fuga. Scrive *L'infinito, Alla luna*, il frammento XXXVII, e vari appunti per un romanzo autobiografico che resterà allo stato di progetto.

1820 *Ad Angelo Mai, La sera del dì di festa, Il sogno.* Scrive alcuni abbozzi di dialoghi, lontano precedente delle future *Operette*.

1821 La vita solitaria, Nelle nozze della sorella Paolina, A un vincitore nel pallone, Bruto minore.

1822 Alla primavera, Ultimo canto di Saffo, Inno ai Patriarchi. Traduce il *Martirio de' Santi Padri*, facendolo passare per un volgarizzamento trecentesco: è una prova di virtuosismo letterario che, pubblicata nel '26, ingannerà anche questa volta lettori esperti. Nel novembre si reca a Roma: il primo viaggio fuori dei confini di Recanati lo delude profondamente. Tenta invano di trovare un lavoro nell'amministrazione pontificia: il rifiuto deciso della prelatura gli chiude ogni sbocco.

1823 maggio Torna a Recanati. Scrive *Alla sua donna* e il *Discorso sopra lo stato presente dei costumi degl'Italiani*, importante tentativo di analizzare la decadenza nazionale e gli effetti nefasti della Restaurazione. Nello scorcio tra questo e l'anno seguente vanno collocate le due traduzioni da Simonide che diventeranno il XL e il XLI dei *Canti*.

1824 Scrive le *Operette morali*, tranne cinque (che cadranno una l'anno seguente, due nel '27, due nel '32).

1825 luglio Parte per Milano, dove prende contatto con l'editore Stella, poi passa a Bologna: qui cerca vanamente un impiego, che il governo pontificio non gli concede per le sue opinioni politiche.

1826 Al conte Carlo Pepoli. Ora presta la sua opera, pagata con un sussidio mensile, allo Stella: comincia pubblicando un commento alle *Rime* del Petrarca.

1827 Sempre per lo Stella, pubblica la *Crestomazia italiana*, un'antologia della prosa; il medesimo editore stampa le *Operette morali*. Nel giugno si trasferisce a Firenze; qui a settembre incontrerà il Manzoni. Verso la fine dell'anno passa a Pisa.

1828 Esce la *Crestomazia italiana poetica*, con cui conclude la sua collaborazione con lo Stella. L'assegno mensile sarà sospeso a novembre; nel frattempo riceve varie proposte di impiego, nessuna soddisfacente (una cattedra di mineralogia a Bonn, una di storia naturale a Bologna). Compone lo *Scherzo, Il risorgimento, A Silvia*. Nel giugno è a Firenze, ma alla fine di novembre, non avendo più mezzi di sostentamento personali, torna a Recanati.

1829 Le ricordanze, La quiete dopo la tempesta, Il sabato del villaggio.

1830 Al concorso bandito dall'Accademia della Crusca le *Operette morali* ricevono un solo voto, da uno degli amici del circolo Vieusseux, Gino Capponi; vince con tredici voti la *Storia d'Italia* di Carlo Botta. Poco dopo aver terminato il *Canto notturno*, nell'aprile torna a Firenze: Pietro Colletta ha raccolto tra gli amici fiorentini un prestito che gli consentirà di vivere per un anno. A Firenze inizia l'amicizia con un esule napoletano, Antonio Ranieri, che gli sarà vicino negli ultimi anni.

1831 Sono in corso i moti dell'Italia centrale; nei rapporti degli informatori della polizia granducale, è segnalato il nome del Leopardi tra i frequentatori dei circoli liberali. Il Pubblico Consiglio di Recanati lo nomina rappresentante all'Assemblea Nazionale di Bologna: ma sono ormai sopraggiunte le truppe austriache. Nell'aprile escono i *Canti* per l'editore Piatti: con il compenso probabilmente Leopardi restituisce al Colletta la somma dell'anno precedente. Ma i rapporti tra i due sono ora assai freddi, e il prestito non sarà rinnovato. A settembre è a Roma con il Ranieri.

1832 Il padre Monaldo pubblica un libello reazionario, *Dialoghetti sulle materie correnti nell'anno 1831*, che viene attribuito, non senza malignità, al figlio: l'« Antologia » pubblicherà l'energica smentita di Giacomo. Nel marzo è di nuovo a Firenze. Inizia forse a raccogliere i *Pensieri* e chiude lo *Zibaldone*.

1833 ottobre Si trasferisce con il Ranieri a Napoli, lasciandosi alle spalle lo sfortunato amore per Fanny Targioni Tozzetti; l'episodio non è tuttavia del tutto chiarito dai biografi. Ha presumibilmente già iniziato la composizione dei *Paralipomeni*, satira dei liberali e dei legittimisti insieme ispirata ad un irreligioso materialismo. I due sodali vivono in condizioni economiche estremamente precarie: il Leopardi riceve, dal luglio dell'anno precedente, un modestissimo assegno mensile dal padre, e cerca di integrare il bilancio con la pubblicazione delle sue opere.

1834 Esce la seconda edizione delle *Operette morali*, ancora per il Piatti.

1835 Concorda con l'editore Starita di Napoli la pubblicazione in sei volumi dei suoi scritti. Escono intanto i *Canti*: qui sono pubblicati per la prima volta *Il passero solitario* (di data incerta, fra il '28 e il '31), l'*Imitazione*, il cosiddetto ciclo di Aspasia (*Il pensiero dominante, Amore e morte, Con-*

salvo, A se stesso, Aspasia: fra il '31 e il '35), *Sopra un bassorilievo antico sepolcrale, Sopra il ritratto di una bella donna* (da collocarsi nello stesso arco di tempo delle precedenti) e la *Palinodia* (composta con ogni probabilità a Napoli).

1836 Lo Starita stampa la terza edizione delle *Operette morali*; la censura borbonica ordina il sequestro sia di queste che dei *Canti*. Scrive *La ginestra, Il tramonto della luna* e *I nuovi credenti*.

1837 *14 giugno*. Muore, mentre a Napoli si diffonde un'epidemia di colera: il Ranieri a stento riesce a sottrarne il corpo alla fossa comune. Viene sepolto nella chiesa di San Vitale a Fuorigrotta.

GIACOMO LEOPARDI E I *CANTI*

« E mi pare che l'esempio recentissimo delle altre nazioni ci mostri chiaro quanto possano in questo secolo i libri veramente nazionali a destare gli spiriti addormentati di un popolo e produrre grandi avvenimenti. Ma per corona de' nostri mali, dal Seicento in poi s'è levato un muro fra i letterati ed il popolo, che sempre più s'alza, ed è cosa sconosciuta appresso le altre nazioni. » Così il Leopardi scrive a Giuseppe Montani, il 21 maggio del 1819: è da poco iniziata la storia dei *Canti*, con la stampa delle prime due canzoni, *All'Italia* e *Sopra il monumento di Dante*. Il Montani ha collaborato al « Conciliatore » di Milano, la rivista romantica e patriottica che segna la prima presa di coscienza della nuova letteratura in Italia: lette le due canzoni del giovane esordiente, vissuto e educato a Recanati, al di fuori degli ambienti culturali avanzati della penisola, sente il bisogno di scrivergli una calda lettera di lode e di vivace incoraggiamento. Il Leopardi risponde subito, con le parole sopra citate. Presiede all'incontro Pietro Giordani, amico di entrambi e allora considerato fra i più autorevoli uomini di cultura italiani, che da mesi andava predicando la grandezza dell'ancora oscuro letterato recanatese.

Sembra difficile immaginare migliori auspici per un esordio; ma soprattutto il Leopardi mostra di vivere questo suo primo incontro con il pubblico con un'ansia di intervento, di compromissione attiva nei grandi temi che contraddistinguono l'orizzonte intellettuale del tempo: il problema del Risorgimento nazionale e, all'interno di esso, il problema di affidare alla letteratura nuovi ruoli e funzioni, di riconsegnarla a un pubblico partecipe rompendo il « muro fra i letterati ed il popolo ». E intorno a questo ambizioso programma egli organizza i suoi progetti: « In ogni modo proveremo di combattere la negligenza degl'Italiani con armi di tre maniere, che sono le più gagliarde: ragione, affetto e riso » (lettera a P. Giordani, 6 agosto '21).

Filosofia, tragedia e satira: ne usciranno le *Operette morali* e i *Paralipomeni*; nessuna tragedia, bensì, come vedremo, gli « idilli ». Ma non è per quest'ultimo particolare che il programma giovanile resterà nella realtà incompiuto: la storia della poesia leopardiana, e dei *Canti* soprattutto, consiste precisamente nel progressivo allontanamento da quel pubblico e dall'immagine che l'autore gli proponeva di sé.

Nell'agosto del '24 egli stampa, a Bologna, dieci *Canzoni*: diventeranno i primi nove *canti* (si aggiunga il XVIII, *Alla sua donna*). E già il Leopardi prospetta il suo rapporto con il pubblico in termini diversi, affiora un'ombra di sfiducia nel suo modo di rivolgersi al lettore: « Sono dieci Canzoni, e più di dieci stravaganze ». Dopo i moti del '21, nella chiusa atmosfera della Restaurazione, l'opinione risorgimentale appare smarrita, in attesa di riorganizzarsi sulla base di una nuova direzione politico-culturale. E i miti giovanili del Leopardi, alfieriani e giacobini, si ritirano lasciando il presente dominato da un'immagine di cupa oppressione: « questo secol morto », « il nostro disperato obblio », « obbrobriosa etade », « abbiette genti », « in peggio precipitano i tempi », « Nel secol tetro e in questo aer nefando ».

L'umanità antica, egli dice, viveva in armonia con la natura perché capace di forti illusioni, di passioni eroiche; e di qui traeva coesione la sua vita civile. L'uomo moderno invece ha isterilito le sue facoltà nell'uso esasperato della ragione, che dissipa i contorni illusori della felicità naturale e irrigidisce i rapporti di convivenza sociale nella maschera vuota del dispotismo. Ma, nello stagnante clima politico e culturale dello Stato pontificio, penetra in questo giudizio un disgusto pessimistico più profondo, una concezione dell'esistenza più disperatamente negativa: « a noi presso la culla Immoto siede, e su la tomba, il nulla », « Nostra vita a che val? solo a spregiarla ».

Questa, fino al 1824, la storia, per così dire, pubblica dei *Canti*: segnata ormai da un primo ripiegamento, destinato ad approfondirsi negli anni seguenti. Accanto ad essa corre parallela un'altra storia, per ora segreta: ha le sue radici nelle perplessità dell'adolescenza, vissuta fra entusiasmi di gloria e angosce sentimentali, in una latente e poi sempre più lacerante opposizione alla cristallizzata immobilità della provincia recanatese. Al di là della complessa erudizione e della raffinatissima esperienza letteraria che egli si era venuto conquistando, nella solitudine della propria passione intellettuale, gli si apriva precocemente l'adito ai labirinti della coscienza, all'esplorazione tormentata dell'interiorità individuale. La crisi si faceva definitiva nel '19, all'inizio dell'itinerario da noi seguito, quando era ormai palese la rovina della salute fisica a cui il Leopardi era andato incontro in quegli anni di « studio matto e disperatissimo ».

Da questo fondo di disagio esistenziale nascono appunto gli idilli. *L'Infinito, La sera del dì di festa, Alla luna, Il sogno, La vita solitaria*, esprimono « situazioni, affezioni, avventure storiche del mio animo »; sciolti, vale a dire, da ogni impianto metrico e retorico precostituito, al di fuori di ogni impegno civile, essi rappresentano un modo di esercitare la poesia espressamente ancorato a un ambito privato. È nel segreto dell'esperienza individuale che si rivela la verità dell'esistenza: questa sostanzialmente la nuova proposta con cui il Leopardi presenta i *Versi* nell'edizione bolognese del 1826.

L'anno dopo egli è a Firenze, dove rinnova i suoi contatti con la cultura liberale. Il circolo più importante è quello che si raccoglie intorno a Gian Pietro Vieusseux e alla rivista da lui fondata, l'« Antologia »: ma sono rapporti più di umana simpatia che non di comunanza ideologica. Il Leopardi si trova ora di fronte a una cultura caratterizzata dall'attenzione per i moderni processi economici e industriali e, sul piano filosofico, da un diffuso spiritualismo di ascendenza romantica, che esprime la nascente egemonia del cattolicesimo liberale sull'opinione moderata. Ed egli si è nel frattempo mosso su una strada in tutto diversa.

All'interno dell'esperienza idillica era infatti già presente una sottile e rigorosa armatura concettuale: è il tema del piacere come sensazione complessa e indeterminata e, a esso complementare, il tema del dolore come dato inestricabilmente connesso alla vita nella sua concretezza materiale. Seguendo tale filo, il Leopardi si era venuto accostando al sensismo e al materialismo del Settecento, operando una profonda revisione della sua originaria concezione del mondo. Al centro del nuovo « sistema » non è più la storia, ma la natura: l'infelicità dell'uomo non è tanto il prodotto di una decadenza storica, ma è determinata dalla stessa costituzione naturale di ogni essere vivente, dalla contraddizione tra le leggi che trasformano la materia e l'insorgenza di valori e desideri propri della vita sensibile. Perseguitato per ogni dove da mali fisici e morali, l'uomo può conservarsi umano solo prendendo coraggiosamente coscienza della sua condizione: in questo senso la ragione cessa di rappresentare il momento disgregatore di un'ipotetica felicità naturale, e diventa lo strumento di una ribellione, della « grande alleanza degli esseri intelligenti contro alla natura, e contro alle cose non intelligenti »

Il linguaggio, sospeso e rarefatto, degli idilli lasciava il posto alla prosa delle *Operette morali*, dove il Leopardi articolava lucidamente la sua concezione: nessuno spazio all'ottimistica fiducia nel progresso, ma un operare disincantato entro i margini che la vicenda cosmica lascia alla storia delle cose umane e degli ordini civili. Pubblicate nel '27, lo stesso anno dei *Promessi sposi* manzoniani, esse cadevano quasi inosservate. Pochi, nell'ambiente dell'« Antologia » che in quei mesi salutava la visita del Manzoni, sembravano capire il valore dell'opera: gli altri esternavano una vaga stima, e al fondo nutrivano un certo sospetto per la svolta materialistica del pensiero leopardiano, così antitetica al programma ideologico dominante.

Proprio dall'isolamento in cui lo sospinge tale svolta è caratterizzata la ripresa poetica del '28-'30, quando il Leopardi torna a Recanati: anche ora egli muove da un ambito privato, quello della memoria (*A Silvia, Le ricordanze*), per ricostruire il senso di un destino generale, la fragile trama dei sentimenti umani nel silenzio dell'universo (*La quiete dopo la tempesta, Il sabato del villaggio, Canto notturno*). Nel '31, di nuovo a Firenze, il Leopardi raccoglie tutte le poesie già pubblicate e queste nuove con il titolo definitivo di *Canti*. L'edizione è dedicata proprio agli amici di Toscana; ma, si badi bene, non è a quel pubblico storico determinato, con le sue caratteristiche culturali e ideologiche, che egli si rivolge: « Non mi so più dolere, cari amici... Ho perduto tutto: sono un tronco che sente e pena ».

Il pubblico reale è sostituito da un lettore universalmente umano e solidale, nascosto nelle pieghe del nostro destino storico, nelle perplessità della condizione esistenziale. « Il sentimento che l'anima *al presente*... è la sola musa ispiratrice del poeta »: e il linguaggio dei *Canti* è appunto il linguaggio di questa comunicazione sospesa e virtuale; nel loro stesso stile, che distilla dall'intera tradizione poetica italiana la filigrana di una atemporale purezza, si consuma il prezzo di un contatto interrotto con il mondo storico dei lettori.

Ancora da un'esperienza personale nascono i canti successivi: l'occasione è offerta dall'amore deluso per una gentildonna fiorentina, Fanny Targioni Tozzetti. I modi tuttavia di queste poesie (*Il pensiero dominante, Amore e morte, A se stesso, Aspasia, Consalvo*) sono profondamente mutati: volta a volta più energici e intensi o più morbidi ed estenuati, fino al linguaggio teso, aspro, di *Aspasia*. Non a caso il Leopardi viene prendendo sempre più coscienza della singolarità che caratterizza il suo percorso intellettuale, nel confronto con le posizioni dei liberali fiorentini: se infatti, durante i moti del '30-'31, egli rinnova le sue convinzioni repubblicane e democratiche, ciò avviene in lui attraverso un sempre più risentito appello al suo illuminismo materialistico.

Di qui un attrito insanabile con i moderati. Quando, nel 1835, egli ristampa a Napoli i *Canti*, scompare la dedica agli amici di Toscana per lasciare il posto, a chiusa del volume, alla *Palinodia*: lucida satira dell'ideologia del progresso industriale, con i suoi tragici risvolti colonialistici e la sua falsificazione dei bisogni umani, essa oppone alle giustificazioni metafisiche che lo accompagnano la realtà materiale della vicenda cosmica in cui ha luogo il nostro destino. Il pessimismo leopardiano assume ormai il gesto antagonistico della ribellione titanica: nella *Ginestra* solo il coraggio della ragione, non la fede mistificata che assicura all'uomo una felicità illusoria, potrà aprire l'adito a una convivenza civile autentica, nella lotta comune contro l'oppressione esercitata dalla natura.

L'utopia libertaria della *Ginestra*, con il suo polemico richiamo alla filosofia del Settecento e pure così sradicata da ogni riferimento storico concreto, aveva il merito sostanziale di dissacrare il facile ottimismo spiritualistico con cui i moderati si apprestavano all'edificazione del Risorgimento; ma sanciva nello stesso tempo, con i suoi interlocutori, un rapporto non più di distacco semplicemente, ma di scontro e di sfida: « Secol superbo e sciocco ».

La parabola iniziata con le *Canzoni* trova così la sua conclusione all'estremo opposto: e in questa parabola hanno la loro reale condizione comunicativa i *Canti*: destinati, per così dire, a un lettore assente, a un pubblico possibile, la loro grandezza trova qui il suo rovescio e prefigura le dolorose ribellioni delle future avanguardie europee. Non a caso *quel* pubblico reagì: a Napoli i liberali che operavano intorno alla rivista « Il progresso », mentre la censura borbonica sequestrava *Canti* e *Operette morali* e gli impediva un'edizione integrale dei suoi scritti, sulle pagine della loro rivista lo additavano come un pensatore « pericoloso ».

Era una reazione puerile, esasperata: certo è che da poco

il lettore moderno ha imparato a trovare nei *Canti* non solo alcune tra le liriche più alte del nostro Ottocento, ma anche le tracce di un ardito itinerario intellettuale che ne illumina le interne motivazioni, le crisi, i tortuosi trapassi e gli esiti sicuri. Così che, come involontaria epigrafe, potrebbero veramente servire queste parole con cui il Leopardi chiudeva, nel '27, una nota dello *Zibaldone*: « Può servire per la *Lettera a un giovane del ventesimo secolo* ».

DOCUMENTI

I

Nel ritratto di questa madre non è difficile riconoscere la madre stessa del Leopardi, Adelaide Antici. *Zibaldone*, 353-6, 25 novembre 1820.

Quanto anche la religion cristiana sia contraria alla natura, quan do non influisce se non sul semplice e rigido raziocinio, e quando questo solo serve di norma, si può vedere per questo esempio. Io ho conosciuto intimamente una madre di famiglia che non era punto superstiziosa, ma saldissima ed esattissima nella credenza cristiana, e negli esercizi della religione. Questa non solamente non compiangeva quei genitori che perdevano i loro figli bambini, ma gl'invidiava intimamente e sinceramente, perché questi eran volati al paradiso senza pericoli, e avevan liberato i genitori dall'incomodo di mantenerli. Trovandosi più volte in pericolo di perdere i suoi figli nella stessa età, non pregava Dio che li facesse morire, perché la religione non lo permette, ma gioiva cordialmente; e vedendo piangere o affliggersi il marito, si rannicchiava in se stessa, e provava un vero e sensibile dispetto. Era esattissima negli uffizi che rendeva a quei poveri malati, ma nel fondo dell'anima desiderava che fossero inutili, ed arrivò a confessare che il solo timore che provava nell'interrogare o consultare i medici, era di sentirne opinioni o ragguagli di miglioramento. Vedendo ne' malati qualche segno di morte vicina, sentiva una gioia profonda (che si sforzava di dissimulare solamente con quelli che la condannavano); e il giorno della loro morte, se accadeva, era per lei un giorno allegro ed ameno, né sapeva comprendere come il marito fosse sì poco savio da attristarsene. Considerava la bellezza come una vera disgrazia, e vedendo i suoi figli brutti o deformi, ne ringraziava Dio, non per eroismo, ma di tutta voglia. Non proccurava in nessun modo di aiutarli a nascondere i loro difetti, anzi pretendeva che in vista di essi, rinunziassero intieramente alla vita nella loro prima gioventù: se resistevano, se cercavano il contrario, se vi riuscivano in qualche minima parte, n'era indispettita, scemava quanto poteva colle parole e coll'opinion sua i loro successi (tanto de' brutti quanto de' belli, perché n'ebbe molti), e non lasciava passare anzi cercava studiosamente l'occasione di rinfacciar loro, e far loro ben conoscere i loro difetti, e le conseguenze che ne dovevano aspettare, e persuaderli della loro inevitabile miseria, con una veracità spietata e feroce. Sentiva i cattivi successi de' suoi figli in questo o simili particolari, con vera consolazione, e si tratteneva di preferenza con loro sopra ciò che aveva sentito in loro disfavore. Tutto questo per liberarli dai pericoli dell'anima, e nello stesso modo si regolava in tutto quello che spetta all'educazione dei figli, al produrli nel mondo, al collocarli, ai mezzi tutti di felicità temporale. Sentiva infinita compassione per li peccatori, ma pochissima per le sventure corporali o temporali, eccetto se la natura talvolta la vinceva. Le malattie, le morti le più compassionevoli de' giovanetti estinti nel fior dell'età, fra le più belle speranze, col maggior danno delle famiglie o del pubblico ec. non la toccavano in verun modo. Perché diceva che non importa l'età della morte, ma il modo: e perciò soleva sempre informarsi curiosamente se erano morti bene secondo la religione o, quando erano malati, se mostravano rassegnazione ec. E parlava di queste disgrazie con una freddezza marmorea. Questa donna aveva sortito dalla natura un carattere sensibilissimo, ed era stata così ridotta dalla sola religione. Ora questo che altro è se non barbarie? E tuttavia non è altro che un calcolo matematico, e una conseguenza immediata e necessaria dei principii di religione esattamente considerati; di quella religione che a buon diritto si vanta per la più misericordiosa ec. Ma la ragione è così barbara che dovunque ella occupa il primo posto, e diventa regola assoluta, da qualunque principio ella parta, e sopra qualunque base ella sia fondata, tutto diventa barbaro. Così vediamo le tante barbarie delle religioni antiche, se ben queste fossero figlie dell'immaginazione. E anche senza i principii religiosi, è pur troppo evidente che la sola stretta ragione, ci porta alle conseguenze specificate di sopra. Non c'è che la pura natura la quale ci scampi dalla barbarie, con quegli errori ch'ella ispira, e dove la ragione non entra. S'ella ci fa piangere la morte dei figli, non è che per un'illusione, perché perdendo la vita non hanno perduto nulla, anzi hanno guadagnato. Ma il non piangerne è barbaro, e molto più il rallegrarsene, benché sia conforme all'esatta ragione. Tutto ciò conferma quello ch'io soglio dire che la ragione spesso è fonte di barbarie (anzi barbarie da se stessa), l'eccesso della ragione sempre; la natura non mai, perché finalmente non è barbaro se non ciò che è contro natura (25 Novembre 1820) sicché natura e barbarie son cose contraddittorie, e la natura non può esser barbara per essenza.

II

Riproduciamo qui alcuni pensieri sullo stile e sul linguaggio poetico, che definiscono sinteticamente la teoria leopardiana dell'indefinito come fondamento dell'emozione poetica. *Zibaldone*, 1234-6, 28 giugno 1821.

L'analisi delle cose è la morte della bellezza o della grandezza loro, e la morte della poesia. Così l'analisi delle idee, il risolverle nelle loro parti ed elementi, e il presentare nude e isolate e senza veruno accompagnamento d'idee concomitanti, le dette parti o elementi d'idee. Questo appunto è ciò che fanno i *termini*, e qui consiste la differenza ch'è tra la *precisione*, e la *proprietà* delle voci. La massima parte delle voci filosofiche divenute comuni oggidì, e mancanti a tutti o quasi tutti gli antichi linguaggi, non esprimono veramente idee che mancassero assolutamente ai nostri antichi. Ma come è già stabilito dagl'ideologi che il progresso delle cognizioni umane consiste nel conoscere che un'idea ne contiene un'altra (così Locke, Tracy ec.), e questa un'altra ec.; nell'avvicinarsi sempre più agli elementi delle cose, e decomporre sempre più le nostre idee, per iscoprire e determinare le sostanze (dirò così) semplici e universali che le compongono (giacché in qualsivoglia genere di cognizioni di operazioni meccaniche ancora ec. gli elementi conosciuti, in tanto non sono universali in quanto non sono perfettamente semplici e primi); (vedi in questo proposito la p. *1287*, fine) così la massima parte di dette voci, non fa altro che esprimere idee già contenute nelle idee antiche, ma ora separate dalle altre parti delle idee madri, mediante l'analisi che il progresso dello spirito umano ha fatto naturalmente di queste idee madri risolvendole nelle loro parti, elementari o no (ché il giungere agli elementi delle idee è l'ultimo confine delle cognizioni); e distinguendo l'una parte dall'altra, con dare a ciascuna parte distinta il suo nome, e formarne un'idea separata, laddove gli antichi confondevano le dette parti, o idee suddivise (che per noi sono oggi altrettante distinte idee) in un'idea sola. Quindi la secchezza che risulta dall'uso de' termini, i quali ci destarono un'idea quanto più si possa scompagnata, solitaria e circoscritta; laddove la bellezza del discorso e della poesia consiste nel destarci gruppi d'idee, e nel fare errare la nostra mente nella moltitudine delle concezioni, e nel loro vago, confuso, indeterminato, incircoscritto. Il che si ottiene colle parole proprie, ch'esprimono un'idea composta di molte parti e legata con molte idee concomitanti; ma non si ottiene colle parole precise o co' termini (sieno filosofici, politici, diplomatici spettanti alle scienze, manifatture, arti ec. ec.) i quali esprimono un'idea più semplice e nuda che si possa. Nudità e secchezza distruttrice e incompatibile colla poesia, e proporzionatamente, colla bella letteratura.

III

Il carattere sensistico-materialistico del pensiero leopardiano è dimostrato da questa pagina straordinaria, che si colloca al culmine della meditazione filosofica degli anni tra il '23 e il '27. *Zibaldone*, 4175-7, 22 aprile 1826.

Entrate in un giardino di piante, d'erbe, di fiori. Sia pur quanto volete ridente. Sia nella più mite stagione dell'anno. Voi non potete volger lo sguardo in nessuna parte che voi non vi troviate del patimento. Tutta quella famiglia di vegetali è in istato di *souffrance*, qual individuo più, qual meno. Là quella rosa è offesa dal sole, che gli ha dato la vita; si corruga, langue, appassisce. Là quel giglio è succhiato crudelmente da un'ape, nelle sue parti più sensibili, più vitali. Il dolce mele non si fabbrica dalle industriose, pazienti, buone, virtuose api senza indicibili tormenti di quelle fibre delicatissime, senza strage spietata di teneri fiorellini. Quell'albero è infestato da un formicaio, quell'altro da bruchi, da mosche, da lumache, da zanzare; questo è ferito nella scorza e cruciato dall'aria o dal sole che penetra nella piaga; quello è offeso nel tronco, o nelle radici; quell'altro ha più foglie secche; quest'altro è roso, morsicato nei fiori; quello trafitto, punzecchiato nei frutti. Quella pianta ha troppo caldo, questa troppo fresco; troppa luce, troppa ombra; troppo umido, troppo secco. L'una patisce incomodo e trova ostacolo e ingombro nel crescere, nello stendersi; l'altra non trova dove appoggiarsi, o si affatica e stenta per arrivarvi. In tutto il giardino tu non trovi una pianticella sola in istato di sanità perfetta. Qua un ramicello è rotto o dal vento o dal suo proprio peso; là un zeffiretto va stracciando un fiore, vola con un brano, un filamento, una foglia, una parte viva di questa o quella pianta, staccata e strappata via. Intanto tu strazi le erbe co' tuoi passi; le stritoli, le ammacchi, ne spremi il sangue, le rompi, le uccidi. Quella donzelletta sensibile e gentile, va dolcemente sterpando e infrangendo steli. Il giardiniere va saggiamente troncando, tagliando membra sensibili, colle unghie, col ferro. (Bologna, 19 Aprile 1826). Certamente queste piante vivono; alcune perché le loro infermità non sono mortali, altre perché ancora con malattie mortali, le piante, e gli animali altresì, possono durare a vivere qualche poco di tempo. Lo spettacolo di tanta copia di vita all'entrare in questo giardino ci rallegra l'anima, e di qui è che questo ci pare essere un soggiorno di gioia. Ma in verità questa vita è trista e infelice, ogni giardino è quasi un vasto ospitale (luogo ben più deplorabile che un cemeterio), e se questi esseri sentono o, vogliamo dire, sentissero, certo è che il non essere sarebbe per loro assai meglio che l'essere. (Bologna, 22 Aprile 1826).

IV

Durante i moti del '31, mentre Leopardi era a Firenze, i recanatesi lo elessero come loro rappresentante al governo provvisorio. Riproduciamo questo curioso documento da G. Carducci, *Opere*, Edizione nazionale, Bologna, Zanichelli, 1937 [2], pp. 182-3.

Nomina del deputato di Recanati all'Assemblea dei deputati delle Provincie unite italiane.

GOVERNO PROVVISORIO DI MACERATA E PROVINCIA

Recanati li XIX maggio MDCCCXXXI.

Per disposizioni superiori il nobil uomo signor cavalier Filippo conte di Colloredo, gonfaloniere e presidente del Comitato, ha convocato il Consiglio da tenersi alle ore 22 di questo giorno nel pubblico palazzo.

Sono intervenuti li signori: *Presidente del comitato*, cavalier Filippo conte di Colloredo, gonfaloniere — *Membri del comitato*: conte Monaldo Leopardi, conte Pietro Galamini, Giuseppe Flamini — *Consiglieri*: Luigi Stanislao Galli, Antonio Condulmari, Giuseppe Sturani, Muzio Calcagni, Antonio Bettini, conte Ercole Mazzagalli, Lorenzo Orlandi, Domenico Fontana, Niccola Pintucci, Antonio Presuttini, Carlo Rabagli, Vincenzo Clementi, Placido Conti, Massimiliano Morosi, Giuseppe Pagliarini, Giuseppe Morici, Giuseppe Gatti Corsetti — *Segretario*, Camillo Frontoni.

Fu implorato il divino aiuto. Unica proposta. Per gli effetti del dispaccio del Comitato provvisorio di governo di Macerata di cui si fa lettura, in data 17 corrente n. 1217, div. I (protocollo municipale n. 150) pervenuto soltanto alle ore 22 dello stesso giorno, fu convocato il Consiglio per il giorno di ieri, onde devenire, a termini del dispaccio medesimo, alla elezione del deputato da spedirsi a Bologna.

Essendosi però riuniti dodici consiglieri soltanto, numero insufficiente a stabilire la legalità dell'atto, questo Comitato devenne alla risoluzione di ripetere gli inviti alli signori consiglieri, conforme hanno avuto effetto in data di ieri per l'adunanza consigliare da tenersi oggi alle ore 22 in questo pubblico palazzo. Giunta l'ora destinata ed intervenuti li signori consiglieri sopradescritti, inerentemente al dispaccio medesimo, si procede ora alla nomina del deputato distrettuale.

Sentito il desiderio unanime dei signori consiglieri, il sig. cav. gonfaloniere ha proposto per deputato il signor

CONTE GIACOMO LEOPARDI

ordinando che questa scelta venga portata allo scrutinio segreto per la completa sua legalità nonostante la ripetuta generale acclamazione.

Ottenne ventuno voti favorevoli, nessun voto contrario.
Dopo ciò, rese grazie all'Altissimo, si è sciolta l'adunanza.

Il gonfaloniere presidente del Comitato
cav. COLLOREDO
CAMILLO FRONTONI, *segretario*.

V

Nel 1833 Monaldo Leopardi, preoccupato per le idee politiche del figlio e per la sua assiduità negli ambienti « giacobini », si rivolge al padre scolopio Stanislao Gatteschi perché lo induca a lasciare Firenze. Riproduciamo la risposta del Gatteschi così come la riporta il Moroncini nell'*Epistolario*, vol. VI, pp. 253-4 nota.

Il conte Giacomo Leopardi è da gran tempo, per vizio di sua struttura, ammalato, Egli certamente da gran tempo va peggiorando, ed è stato ormai costretto a lasciare i suoi prediletti studi. Nulla per altro vi è attualmente di nuovo. Frequenta la casa Lenzoni, e riceve di rado e pochi amici. Si trova in gran scarsità di danaro, e spesso è campato per la misericordia di quelli che onorano i di lui talenti. È stravagantissimo nelle abitudini di vivere. Si leva verso le due pomeridiane, mangia ad ore irregolari, va a letto verso il fare del giorno. La sua vita non può essere longeva per i complicati mali onde è gravato. È molto caldo fautore delle Repubbliche, contro alle opinioni di suo padre che è caldo legittimista. Questa è la ragione per cui non vuol con lui relazioni, né suole con lui abitare. Egli però ne parla con rispetto e tenerezza. Queste sono le cognizioni che ho rilevate da gente che lo avvicina, non certamente del nostro modo di pensare.

VI

Sulle pagine del « Progresso », la rivista dei liberali napoletani, nel corso del 1836 appaiono frequenti allusioni alla presenza del Leopardi a Napoli; e ben poco cordiali, in verità. Scegliamo la più esplicita, da una recensione di Emidio Cappelli al poemetto *Claudio Vannini* di Saverio Baldacchini, che è il più autorevole rappresentante di quell'ambiente culturale (vol. XIII, p. 256); e la accompagniamo con una lettera coeva di Alessandro Poerio al Tommaseo (non certo noto a sua volta come estimatore del Leopardi) così come la riproduce S. Pasquazi in « Convivium » 1952, p. 243.

Ogni periodo, ogni verso di questo poemetto racchiude un documento morale, e tale per entro un amore, una fragranza di virtù e di religione vi si sente, che non può non toccar gli animi anche dei più schivi e ritrosi lettori. E non vogliamo tacere esserci questo libretto venuto ad un bel bisogno: quando alcuni scrittori d'ingegno e sapere più che mezzano, non sappiam per qual maligno risguardo de' cieli tra noi surti, si son fatti, e tuttodì si van facendo non men vili che orgogliosi propagatori di certi principii di disperazione, di dubbio, di odio e disprezzo per la vita e per gli uomini; e niente altro c'insegnano a noi rimanere, che il cacciarci un coltello in gola. E forse ancora per alto levando i loro stolti e inverecondi clamori, e mandando ad un fascio la virtù ed il vizio, minacciano di rendere il mondo un'arena di gladiatori, ed un vasto campo di ferocie e di orrori.

Qui caro Tommaseo, sono alcuni i quali non dicono il vero, o quel che lor sembra vero, con altezza d'animo, spassionatamente, senza odio né timore, come fate voi; ma gli danno addosso ferocemente, vilmente, senza nominarlo, mostrandolo a dito, mordendolo sotto manto di religione, accagionandolo di voler capovolgere la società, toglier via la distinzione tra il vizio e la virtù, empire la terra di sangue.

BIBLIOGRAFIA

a) I Canti *furono pubblicati in questo ordine*:
Canzoni di Giacomo Leopardi, Roma, Bourlié, 1818: comprende i canti I e II.
Canzone di Giacomo Leopardi ad Angelo Mai, Bologna, Marsigli, 1820: è il canto III.
Canzoni del conte Giacomo Leopardi, Bologna, Nobili, 1824: comprende i canti dal I al IX e il XVIII.
Il sogno, nel « Caffè di Petronio » di Bologna, n. 33, 13 agosto 1825, pp. 129-30: è il canto XV.
Idilli e volgarizzamenti di alcuni versi morali dal greco, nel « Nuovo Ricoglitore » di Milano, n. 12, dicembre 1825, pp. 903-4 e n. 13, gennaio 1826, pp. 45-51: comprende i canti XII, XIII, XIV, XV, XXXVII, XVI.
Versi, Bologna, Stamperia delle Muse, 1826: comprende i canti XII, XIII, XIV, XV, XXXVII, XVI, X, XXXVIII, XIX.
Canti, Firenze, Piatti, 1831: comprende i canti dal I al X, dal XII al XVI, dal XVIII al XXV.
Canti, Napoli, Starita, 1835: aggiunge all'edizione precedente il canto XI, il XVII, i canti dal XXVI al XXXII e dal XXXV al XLI.
Nelle *Opere*, a cura di ANTONIO RANIERI, Firenze, Le Monnier, 1845, vol. I, apparvero infine i canti XXXIII e XXXIV.

b) Edizioni critiche:
A cura di F. MORONCINI, Bologna, Cappelli, 1927, voll. 2 (ne esiste una ristampa anastatica del 1961): l'apparato critico comprende anche le varianti e le correzioni dei manoscritti.
A cura di L. GINZBURG, Bari, Laterza, 1938. È il testo riprodotto nel presente volume.

c) Edizioni complessive delle opere del Leopardi:
Tutte le opere, a cura di F. FLORA, Milano, Mondadori: *Le poesie e le prose*, voll. 2, 1940; *Zibaldone di pensieri*, voll. 2, 1937; *Lettere*, 1949.
Tutte le opere, a cura di W. BINNI, Firenze, Sansoni, 1969, voll. 2.
Una vasta silloge ha curato S. SOLMI, Milano-Napoli, Ricciardi, vol. I, 1956 e II, 1966. Per le sole opere in versi, esiste un'edi-

zione complessiva a cura di C. MUSCETTA e G. SAVOCA, Torino, Einaudi, 1968; il volume è corredato da un indice delle concordanze. A questo proposito, va segnalato che per i soli *Canti*, ma incluse le varianti date dal Moroncini, esistono anche le *Concordanze ai «Canti»*, a cura di A. BUFANO, Firenze, Le Monnier, 1968. Per completare il quadro bisogna tuttavia ricordare l'*Epistolario*, a cura di F. MORONCINI e G. FERRETTI, Firenze, Le Monnier, 1934-41, voll. 7, che comprende le lettere dei corrispondenti; gli *Scritti filologici 1817-1832*, a cura di G. PACELLA e S. TIMPANARO, Firenze, Le Monnier, 1969; *'Entro dipinta gabbia'. Tutti gli scritti inediti, rari e editi 1809-1810*, a cura di M. CORTI, Milano, Bompiani, 1972; e infine la *Crestomazia italiana*, vol. I, *La prosa*, a cura di G. BOLLATI, e vol. II, *La poesia*, a cura di G. SAVOCA, Torino, Einaudi, 1968.
Molti testi sono però tuttora inediti: la collana degli « Scritti di Giacomo Leopardi inediti o rari », promossa dal Centro di studi leopardiani e iniziata dall'editore Le Monnier con la pubblicazione degli *Scritti filologici* cit., prevede altri nove volumi.

d) *Edizioni commentate*:
Il commento più sicuro e puntuale resta quello approntato da M. FUBINI e E. BIGI, Torino, Loescher, 1968.

e) *Testi critici*.
F. DE SANCTIS, *La letteratura del secolo XIX, Leopardi*, a cura di W. BINNI, Bari, Laterza, 1953 (ma ne esistono anche diverse edizioni economiche): scritto fra il 1876 e il 1883 e rimasto incompiuto, rimane ancora un saggio fondamentale. Oltre a consacrare definitivamente la grandezza del Leopardi, esso ne propone anche la prima, organica interpretazione critica, condizionando gli sviluppi successivi; romanticamente impostato sull'antinomia tra sentimento e ragione, poesia e filosofia, finisce per privilegiare il filone cosiddetto « idillico » e, soprattutto, per sottovalutare l'importanza dell'esperienza intellettuale che appunto sostiene gli esiti più alti della lirica leopardiana. Ma la sicurezza dell'impianto e la capacità di penetrazione nella lettura ne fanno una monografia esemplare.
B. CROCE, *Leopardi*, in « La Critica » 1922, pp. 193-204, poi in *Poesia e non poesia*, Bari, Laterza, 1923: l'importanza storica di questo saggio, tra i meno felici del grande critico, va molto al di là dei suoi meriti. È un'interpretazione molto riduttiva del Leopardi, visto come uno « spettatore alla finestra », incapace di affrontare il mondo degli uomini e della storia, chiuso in un cerchio di immagini private: la sua esperienza appare sostanzialmente come la proiezione della sua infelicità fisica, ed il suo pensiero come la scoria di una delusione meramente individuale. Ma proprio per la loro rigida, dogmatica linearità, queste pagine divennero il punto di riferimento polemico dominante per la nuova critica leopardiana del dopoguerra.

C. LUPORINI, *Leopardi progressivo*, in *Filosofi vecchi e nuovi*, Firenze, Sansoni, 1947; W. BINNI, *La nuova poetica leopardiana*, Firenze, Sansoni, 1947 e *Introduzione* a G.L., *Tutte le opere*, cit., I, pp. XI-LXX; S. TIMPANARO, *Alcune osservazioni sul pensiero del Leopardi* e *Il Leopardi e i filosofi antichi*, in *Classicismo e illuminismo nell'Ottocento italiano*, Pisa, Nistri-Lischi, 1965, pp. 133-228: sono, per ragioni diverse, gli interventi che più hanno modificato l'immagine tradizionale del Leopardi, suggerendo la necessità di un esame pressoché del tutto rinnovato della sua opera. Gli acquisti fondamentali potrebbero essere sintetizzati in questi punti: una valutazione più precisa della posizione che il Leopardi assume, con le sue aperte dissidenze ideologiche, nell'ambito della cultura italiana del primo Ottocento; e la proposta di riconsiderare la sua lirica su questo sfondo, con un'attenzione più flessibile ai complessi rapporti che si instaurano tra il suo pensiero e la sensibilità estetica, le scelte linguistiche, il registro stilistico, all'interno della poesia stessa. In questa direzione, salva l'originalità dei diversi punti di vista e della tradizione critica da cui muovono, convergono o restano comunque imprescindibili i contributi degli altri maggiori critici leopardiani, De Robertis, Fubini, Bigi, Sapegno, Solmi.
Per una completa bibliografia, rimandiamo a G. MAZZATINTI, M. MENGHINI, G. NATALI e C. MUSUMARRA, *Bibliografia leopardiana*, Firenze, Olschki, voll. I e II, 1931-32, vol. III, 1953 (fino al 1951); A. TORTORETO, *Bibliografia analitica leopardiana* (1952-60), Firenze, Olschki, 1963.
Per la storia della critica, cfr. il profilo di E. BIGI, nei *Classici italiani nella storia della critica,* diretti da W. Binni, Firenze, La Nuova Italia, vol. II, 1961 [2], pp. 353-407 e C.F. GOFFIS, Leopardi Palermo, Palumbo, 1973 [2].

La raccolta principale di manoscritti leopardiani è costituita dalle cosiddette « carte napoletane », che il Leopardi lasciò all'amico Ranieri e successivamente furono destinate alla Biblioteca Nazionale di Napoli. Tra di esse si conservano, in particolare, gli autografi dei seguenti *Canti*: dal IV al X, dal XII al XVIII, dal XX al XXV, il XXXIII, dal XXXVI al XLI; sempre tra le carte napoletane sono un esemplare dell'edizione Bourlié delle prime due canzoni, con correzioni, varianti e postille, e un esemplare dell'edizione Starita dei *Canti* corretto dall'autore. Del XXXIX si ha un secondo autografo presso il Museo Giovio di Como. A Recanati si conservano gli autografi del II e del III, nella biblioteca di Visso quello del XIX (e un secondo autografo dei canti dal XII al XVI). Del XXXIV si hanno solo, a Napoli, tre copie di mano del Ranieri; dei canti XI, XXVI - XXXII e XXXV, non si conoscono manoscritti. Quanto ai *Nuovi credenti*, fra le carte napoletane si hanno due copie di mano del Ranieri.

Tutte le edizioni indicate delle opere leopardiane sono facilmente ritrovabili in commercio (per non dire poi delle innumerevoli edizioni scolastiche ed economiche dei *Canti* e delle *Operette morali*), tranne l'*Epistolario* a cura del Moroncini, da tempo esaurito e ormai solo in antiquariato.

Assai attivo è il Centro di studi leopardiani, che ha sede a Recanati e ha come Presidente Umberto Bosco; sotto il suo patrocinio sono state realizzate diverse pubblicazioni ed hanno avuto luogo, sempre a Recanati, tre congressi internazionali: nel 1962, sul tema *Leopardi e il Settecento* (cfr. gli *Atti*, Firenze, Olschki, 1964); nel 1967, sul tema *Leopardi e l'Ottocento* (cfr. gli *Atti*, Firenze, Olschki, 1970); nel 1972, sul tema *Leopardi e il Novecento* (cfr. gli *Atti*, Firenze, Olschki, 1974). Il Centro inoltre raccoglie sistematicamente tutta la documentazione, filologica e critica, intorno al Leopardi, e costituisce quindi un punto essenziale di riferimento per gli studiosi.

FRANCO BRIOSCHI

Unico ritratto dal vero di Giacomo Leopardi, eseguito da Luigi Lolli a Bologna nel 1825. Il Ranieri così descrive l'aspetto esteriore del poeta: « Fu di statura mediocre, chinata ed esile, di colore bianco che volge al pallido, di testa grossa, di fronte quadra e larga, d'occhi cilestri e languidi, di naso proffilato, di lineamenti delicatissimi, di pronunziazione modesta e alquanto fioca, e d'un sorriso ineffabile e quasi celeste ».

Biblioteca del palazzo Leopardi a Recanati. Degli studi, per così dire, regolari di Giacomo così scrisse il padre Monaldo: « Nel 1807 presi in casa il Signor Don Sebastiano Sanchini sacerdote di Mondaino diocesi di Rimino, il quale ammaestrò Giacomo e il suo minore fratello Carlo fino alli 20 di Luglio del 1812, in cui diedero ambedue pubblico sperimento di filosofia [...]. In quel giorno finirono gli studii scolastici di Giacomo (allora di anni 14) perché il precettore non aveva più altro da insegnarli ». All'esame del 1812 fu presente lo stesso vescovo. Da quel momento il Leopardi studiò praticamente da autodidatta: « Ella si mostra sorpresa come così presto abbia potuto acquistare tanto, specialmente in fatto di erudizione. Certo nessuno è stato testimonio del suo affaticarsi più di me, che, avendo sempre nella prima età dormito nella stessa camera con lui, lo vedeva, svegliandomi nella notte tardissima, in ginocchio avanti il tavolino per potere scrivere fino all'ultimo momento col lume che si spegneva » (da una lettera del fratello Carlo a Prospero Viani, 9 settembre 1845).

Pietro Giordani (1774-1848) fu uno dei più importanti esponenti del classicismo italiano di ispirazione illuministica e liberale; dopo essersi schierato a favore del regime napoleonico con il *Panegirico* del 1807, durante la Restaurazione fu redattore della « Biblioteca Italiana », dove rappresentò, in contrasto con l'Acerbi, l'orientamento progressista in seno alla direzione del periodico. Esiliato dal Lombardo-Veneto, si stabilì prima a Firenze poi, per l'ostilità del governo granducale, a Parma. Conobbe il Leopardi attraverso lo Stella, e ne fu subito ammiratore entusiasta (« sommo filologo, sommo poeta, sommo filosofo »); la sua amicizia non fu solo occasione al Leopardi per le prime, laceranti confessioni d'infelicità (« perché insomma io mi sono rovinato con sette anni di studio matto e disperatissimo in quel tempo che mi s'andava formando e mi si doveva assodare la complessione. E mi sono rovinato infelicemente e senza rimedio per tutta la vita, e rendutomi l'aspetto miserabile »: lettera del 2 marzo 1818), ma fu anche importante per la determinazione delle sue idee, nel senso di quel classicismo illuministico che egli verrà poi originalmente rielaborando lungo il suo itinerario filosofico.

La diletta persona 90
Con chi [19] passato avrà molt'anni insieme,
E dire a quella addio senz'altra speme
Di riscontrarla ancora
Per la mondana via [20];
Poi solitario abbandonato in terra, 95
Guardando attorno, all'ore ai lochi usati
Rimemorar la scorsa compagnia?
Come, ahi come, o natura, il cor ti soffre
Di strappar dalle braccia
All'amico l'amico, 100
Al fratello il fratello,
La prole al genitore,
All'amante l'amore: e l'uno estinto,
L'altro in vita serbar? Come potesti
Far necessario in noi 105
Tanto dolor, che sopravviva amando
Al mortale il mortal? Ma da natura [21]
Altro negli atti suoi
Che nostro male o nostro ben si cura.

19. Con cui.
20. Il cammino della vita; nel mondo.
21. Da parte della natura: dipende dall'impersonale *si cura* del v. 109.

XXXI

SOPRA IL RITRATTO
DI UNA BELLA DONNA

SCOLPITO NEL MONUMENTO SEPOLCRALE
DELLA MEDESIMA [1]

Tal [2] fosti: or qui sotterra
Polve e scheletro sei. Su l'ossa e il fango
Immobilmente collocato invano,
Muto, mirando dell'etadi il volo,
Sta, di memoria solo 5
E di dolor custode, il simulacro [3]
Della scorsa beltà. Quel dolce sguardo,
Che tremar fe', se, come or sembra, immoto
In altrui s'affisò; quel labbro, ond'alto [4]
Par, come d'urna piena, 10
Traboccare il piacer; quel collo, cinto
Già di desio [5]; quell'amorosa mano,
Che spesso, ove fu porta,
Sentì gelida far la man che strinse;
E il seno, onde [6] la gente 15
Visibilmente di pallor si tinse,
Furo alcun tempo: or fango
Ed ossa sei: la vista
Vituperosa e trista un sasso asconde.

Così riduce il fato 20
Qual [7] sembianza fra noi parve più viva
Immagine del ciel. Misterio eterno

1. Strofe libere di endecasillabi e settenari. Per la datazione, cfr. la n. 1 al canto precedente.
2. Quale sei raffigurata nel ritratto.
3. L'effigie; il ritratto, appunto.
4. Costruisci: da cui sembra traboccare profondo (*alto*) il piacere.
5. Intendi: contemplato da tanti con desiderio, quasi circondato dal loro sguardo.
6. Per il quale.
7. Qualsiasi.

Dell'esser nostro. Oggi d'eccelsi, immensi
Pensieri e sensi inenarrabil fonte,
Beltà grandeggia, e pare, 25
Quale splendor vibrato
Da natura immortal su queste arene [8],
Di sovrumani fati,
Di fortunati regni e d'aurei mondi
Segno e sicura spene 30
Dare al mortale stato:
Diman, per lieve forza [9],
Sozzo a vedere, abominoso, abbietto
Divien quel che fu dianzi
Quasi angelico aspetto, 35
E dalle menti insieme [10]
Quel che da lui moveva
Ammirabil concetto, si dilegua.

Desiderii infiniti
E visioni altere [11] 40
Crea nel vago pensiere,
Per natural virtù, dotto concento [12];
Onde per mar delizioso, arcano
Erra lo spirto umano,
Quasi come a diporto 45
Ardito notator per l'Oceano:
Ma se un discorde accento
Fere l'orecchio, in nulla
Torna quel paradiso in un momento.

Natura umana, or come, 50
Se frale in tutto e vile,
Se polve ed ombra sei, tant'alto senti?
Se in parte anco gentile [13],
Come i più degni tuoi moti e pensieri
Son così di leggeri 55
Da sì basse cagioni e desti e spenti [14]?

8. Come un raggio vibrato da un essere divino sul deserto della vita.
9. Per una violenza anche minima che ne determina la fine.
10. Costruisci: e insieme si dilegua dall'animo quell'immagine meravigliosa che si generava da esso.
11. Elevate.
12. Armonia ordita sapientemente.
13. Se anche in parte sei nobile (e non *frale in tutto e vile*).
14. Destati e spenti dal fiorire e dallo sfiorire della bellezza.

XXXII

PALINODIA

AL MARCHESE GINO CAPPONI[1]

Il sempre sospirar nulla rileva.

PETRARCA

Errai, candido[2] Gino; assai gran tempo
E di gran lunga errai. Misera e vana
Stimai la vita, e sopra l'altre insulsa
La stagion ch'or si volge. Intolleranda
Parve, e fu, la mia lingua alla beata 5
Prole mortal, se dir si dee mortale
L'uomo, o si può. Fra maraviglia e sdegno,
Dall'Eden odorato in cui soggiorna,
Rise l'alta progenie, e me negletto
Disse, o mal venturoso[3], e di piaceri 10
O incapace o inesperto, il proprio fato
Creder comune, e del mio mal consorte
L'umana specie. Alfin per entro il fumo
De' sigari onorato[4] al romorio
De' crepitanti pasticcini, al grido 15
Militar, di gelati e di bevande
Ordinator, fra le percosse tazze
E i branditi cucchiai, viva rifulse
Agli occhi miei la giornaliera luce
Delle gazzette. Riconobbi e vidi 20
La pubblica letizia, e le dolcezze

1. Endecasillabi sciolti. Composto a Napoli fra il '34 e il '35. Il Leopardi finge una ritrattazione (*palinodia*) del pessimismo materialistico che improntava il suo pensiero, svolgendo in realtà una corrosiva satira dei miti cui si ispirava la cultura cattolico-liberale. Il Capponi era tra i principali esponenti del circolo fiorentino che si raccoglieva intorno all'"Antologia", la rivista diretta dal Vieusseux.
2. Fiducioso, ottimista. *Assai*: abbastanza, troppo.
3. Sventurato; *proprio*: mio proprio.
4. Con valore attivo: che onora. Le dispute al caffè sono descritte con sarcastica intonazione epica: come entro il fumo di una battaglia, crepitano pasticcini, si brandiscono cucchiai, ecc.

Del destino mortal. Vidi l'eccelso
Stato e il valor delle terrene cose,
E tutto fiori il corso umano, e vidi
Come nulla quaggiù dispiace e dura [5]. 25
Né men conobbi ancor gli studi e l'opre
Stupende, e il senno, e le virtudi, e l'alto
Saver del secol mio. Né vidi meno
Da Marrocco al Catai, dall'Orse al Nilo,
E da Boston a Goa [6], correr dell'alma 30
Felicità su l'orme a gara ansando
Regni, imperi e ducati; e già tenerla
O per le chiome fluttuanti, o certo
Per l'estremo del boa [7]. Così vedendo,
E meditando sovra i larghi fogli 35
Profondamente, del mio grave, antico
Errore, e di me stesso, ebbi vergogna.

Aureo secolo omai volgono, o Gino,
I fusi delle Parche [8]. Ogni giornale,
Gener vario di lingue e di colonne, 40
Da tutti i lidi lo promette al mondo
Concordemente. Universale amore,
Ferrate vie, moltiplici commerci,
Vapor, tipi [9] e *choléra* i più divisi
Popoli e climi stringeranno insieme: 45
Né maraviglia fia se pino o quercia
Suderà latte e miele [10], o s'anco al suono
D'un *walser* danzerà. Tanto la possa
Infin qui de' lambicchi e delle storte,
E le macchine al cielo emulatrici [11] 50
Crebbero, e tanto cresceranno al tempo

5. Riprende e rovescia un verso petrarchesco « come nulla qua giù diletta e dura » (*Rime*, CCXI, 14), sottolineando iperbolicamente l'ottimismo dei liberali. *Studi*: lat., occupazioni.
6. Da occidente a oriente, da Nord a Sud, dall'America all'India. *Alma*: che dà vita.
7. Pelliccia: cfr., in *Appendice*, la nota dell'Autore a questo canto. I *larghi fogli* sono, ovviamente, le gazzette.
8. Le Parche tessono il filo della vita di una felice generazione: è una reminiscenza (ne seguiranno altre) dell'ecloga IV di Virgilio, a sottolineare l'intenzione satirica.
9. Caratteri tipografici: la stampa. *Choléra*: nel '32 in Francia era scoppiata un'epidemia, che difatti nel '36 giungerà in Italia.
10. Miele: come, appunto, nell'età dell'oro.
11. Che gareggiano con la potenza divina.

Che seguirà; poiché di meglio in meglio
Senza fin vola e volerà mai sempre
Di Sem, di Cam e di Giapeto il seme [12].

Ghiande non ciberà certo la terra 55
Però, se fame non la sforza [13]: il duro
Ferro non deporrà. Ben molte volte
Argento ed or disprezzerà, contenta
A polizze di cambio. E già dal caro
Sangue de' suoi non asterrà la mano 60
La generosa stirpe: anzi coverte
Fien di stragi l'Europa e l'altra riva [14]
Dell'atlantico mar, fresca nutrice
Di pura civiltà, sempre che [15] spinga
Contrarie in campo le fraterne schiere 65
Di pepe o di cannella o d'altro aroma
Fatal cagione o di melate canne,
O cagion qual si sia ch'ad auro torni [16].
Valor vero e virtù, modestia e fede
E di giustizia amor, sempre in qualunque 70
Pubblico stato, alieni in tutto e lungi
Da' comuni negozi [17], ovvero in tutto
Sfortunati saranno, afflitti e vinti;
Perché diè lor natura, in ogni tempo
Starsene in fondo. Ardir protervo e frode, 75
Con mediocrità, regneran sempre,
A galleggiar sortiti [18]. Imperio e forze,
Quanto più vogli o cumulate o sparse,
Abuserà chiunque avralle [19], e sotto

12. L'intera umanità, in tutte le sue razze. *Mai sempre*: sempre.
13. Non per questo (*però*) l'uomo (*la terra*) tornerà a cibarsi, come nell'età dell'oro, di ghiande. E se rinuncerà ad oro e argento, sarà per sostituirli con polizze, carta moneta e cambiali.
14. L'America.
15. Ogni volta che. Allusione alle guerre coloniali: la cui *fatal cagione* consiste semplicemente nella volontà di sfruttare le terre ricche di merci pregiate (*melate canne*: canna da zucchero); ed intanto in Europa si parla di fraternità universale e felicità pubblica.
16. Che si risolva in ambizione di guadagno.
17. Saranno costretti ad astenersi dalla vita pubblica.
18. Destinati a dominare.
19. Chiunque avrà potere, ne abuserà, tanto che esso sia accentrato dispoticamente (governo assoluto) quanto invece distribuito fra molti (governo costituzionale): e questa legge fu da sempre scolpita nel diamante dalla natura.

Qualunque nome. Questa legge in pria 80
Scrisser natura e il fato in adamante;
E co' fulmini suoi Volta né Davy [20]
Lei non cancellerà, non Anglia tutta
Con le macchine sue, né con un Gange [21]
Di politici scritti il secol novo. 85
Sempre il buono in tristezza, il vile in festa
Sempre e il ribaldo: incontro all'alme eccelse
In arme tutti congiurati i mondi
Fieno in perpetuo: al vero onor seguaci [22]
Calunnia, odio e livor: cibo de' forti 90
Il debole, cultor [23] de' ricchi e servo
Il digiuno mendico, in ogni forma
Di comun reggimento, o presso o lungi
Sien l'eclittica [24] o i poli, eternamente
Sarà, se al gener nostro il proprio albergo 95
E la face del dì non vengon meno [25].

Queste lievi reliquie e questi segni
Delle passate età, forza è che impressi
Porti quella che sorge età dell'oro [26]:
Perché mille discordi e repugnanti 100
L'umana compagnia principii e parti
Ha per natura; e por quegli odii in pace
Non valser gl'intelletti e le possanze
Degli uomini giammai, dal dì che nacque
L'inclita [27] schiatta, e non varrà, quantunque 105
Saggio sia né possente, al secolo nostro
Patto [28] alcuno o giornal. Ma nelle cose
Più gravi, intera, e non veduta innanzi,
Fia la mortal felicità. Più molli

20. Intendi: con le loro scoperte nel campo dell'elettricità. *Anglia*: l'Inghilterra; e intende la civiltà industriale in genere.
21. Un fiume, una quantità enorme.
22. Per dire "persecutori".
23. Costretto a corteggiare e adulare.
24. La zona torrida; in realtà l'eclittica designa l'orbita tracciata dal centro della terra girando intorno al sole.
25. Finché non cesseranno di esistere la terra (*albergo*: sede) e il sole.
26. Questa nuova età dell'oro sarà necessariamente segnata da tali tracce del passato. Poiché la società (*l'umana compagnia*) è costituita di membri in perpetua lotta fra di loro.
27. Gloriosa.
28. Costituzione.

Di giorno in giorno diverran le vesti 110
O di lana o di seta. I rozzi panni
Lasciando a prova [29] agricoltori e fabbri,
Chiuderanno in coton la scabra pelle,
E di castoro copriran le schiene.
Meglio fatti al bisogno, o più leggiadri 115
Certamente a veder, tappeti e coltri,
Seggiole, canapè, sgabelli e mense,
Letti, ed ogni altro arnese, adorneranno
Di lor menstrua [30] beltà gli appartamenti;
E nove forme di paiuoli, e nove 120
Pentole ammirerà l'arsa cucina.
Da Parigi a Calais, di quivi a Londra,
Da Londra a Liverpool, rapido tanto
Sarà, quant'altri immaginar non osa,
Il cammino, anzi il volo: e sotto l'ampie 125
Vie del Tamigi fia dischiuso il varco [31],
Opra ardita, immortal, ch'esser dischiuso
Dovea, già son molt'anni. Illuminate
Meglio ch'or son, benché sicure al pari,
Nottetempo saran le vie men trite [32] 130
Delle città sovrane, e talor forse
Di suddita città le vie maggiori [33].
Tali dolcezze e sì beata sorte
Alla prole vegnente il ciel destina.

Fortunati color che mentre io scrivo 135
Miagolanti in su le braccia accoglie
La levatrice! a cui veder s'aspetta [34]
Quei sospirati dì, quando per lunghi
Studi fia noto, e imprenderà col latte [35]
Dalla cara nutrice ogni fanciullo, 140
Quanto peso di sal, quanto di carni,
E quante moggia di farina inghiotta

29. A gara.
30. Destinata a vivere un mese: di poca durata, perché soggetta alla moda.
31. Il tunnel sotto il Tamigi, iniziato nel 1802 e terminato dopo la morte del L.
32. Le vie meno frequentate delle città principali.
33. Le strade più importanti delle città secondarie.
34. È riservato.
35. Imparerà fin da bambino: tanto saranno diffusi gli studi di statistica.

Il patrio borgo in ciascun mese; e quanti
In ciascun anno partoriti e morti
Scriva il vecchio prior [36]: quando, per opra 145
Di possente vapore, a milioni
Impresse [37] in un secondo, il piano e il poggio,
E credo anco del mar gl'immensi tratti,
Come d'aeree gru stuol che repente
Alle late campagne il giorno involi [38], 150
Copriran le gazzette, anima e vita
Dell'universo, e di savere a questa
Ed alle età venture unica fonte!

Quale un fanciullo, con assidua cura,
Di fogliolini e di fuscelli, in forma 155
O di tempio o di torre o di palazzo,
Un edificio innalza; e come prima
Fornito il mira, ad atterrarlo è volto [39],
Perché gli stessi a lui fuscelli e fogli
Per novo lavorio son di mestieri [40]; 160
Così natura ogni opra sua, quantunque
D'alto artificio a contemplar [41], non prima
Vede perfetta, ch'a disfarla imprende,
Le parti sciolte dispensando [42] altrove.
E indarno a preservar se stesso ed altro 165
Dal gioco reo, la cui ragion gli è chiusa
Eternamente, il mortal seme accorre
Mille virtudi oprando in mille guise
Con dotta [43] man: che, d'ogni sforzo in onta,
La natura crudel, fanciullo invitto, 170
Il suo capriccio adempie, e senza posa
Distruggendo e formando si trastulla.
Indi [44] varia, infinita una famiglia
Di mali immedicabili e di pene

36. I parroci avevano allora il compito di tenere il registro di stato civile.
37. Va unito al soggetto *le gazzette* del v. 151.
38. Copra la luce del sole. *Aeree*: che volano in alto.
39. Non appena lo vede finito (*fornito*), si dà subito a disfarlo.
40. Necessari.
41. Per quanto appaia meravigliosamente costruita a chi la osservi. *Perfetta*: compiuta.
42. Destinando.
43. Abile, esperta.
44. Di qui, da questo incessante moto di creazione e distruzione.

Preme il fragil mortale, a perir fatto 175
Irreparabilmente: indi una forza
Ostil, distruggitrice, e dentro il fere [45]
E di fuor da ogni lato, assidua, intenta
Dal dì che nasce; e l'affatica e stanca,
Essa indefatigata [46]; insin ch'ei giace 180
Alfin dall'empia madre oppresso e spento.
Queste, o spirto gentil [47], miserie estreme
Dello stato mortal; vecchiezza e morte,
Ch'han principio d'allor che il labbro infante
Preme il tenero sen che vita instilla; 185
Emendar, mi cred'io, non può la lieta
Nonadecima età [48] più che potesse
La decima o la nona, e non potranno
Più di questa giammai l'età future.
Però [49], se nominar lice talvolta 190
Con proprio nome il ver, non altro in somma
Fuor che infelice, in qualsivoglia tempo,
E non pur ne' civili ordini e modi,
Ma della vita in tutte l'altre parti,
Per essenza insanabile, e per legge 195
Universal, che terra e cielo abbraccia,
Ogni nato sarà. Ma novo [50] e quasi
Divin consiglio ritrovàr gli eccelsi
Spirti del secol mio: che, non potendo
Felice in terra far persona alcuna, 200
L'uomo obbliando, a ricercar si diero
Una comun felicitade; e quella
Trovata agevolmente, essi di molti
Tristi e miseri tutti, un popol fanno
Lieto e felice: e tal portento, ancora 205
Da *pamphlets*, da riviste e da gazzette
Non dichiarato, il civil gregge ammira.

Oh menti, oh senno, oh sovrumano acume
Dell'età ch'or si volge! E che sicuro

45. Lo ferisce, tormenta.
46. Rimanendo essa instancabile.
47. Nobile; ma il vocativo riecheggia l'esordio della canzone petrarchesca *Spirto gentil* (*Rime*, LIII).
48. Il secolo XIX.
49. Perciò.
50. Straordinario; *consiglio*: lat., provvedimento.

Filosofar, che sapienza, o Gino, 210
In più sublimi ancora e più riposti
Subbietti [51] insegna ai secoli futuri
Il mio secolo e tuo! Con che costanza
Quel che ieri schernì [52], prosteso adora
Oggi, e domani abbatterà, per girne 215
Raccozzando i rottami, e per riporlo
Tra il fumo degl'incensi il dì vegnente!
Quanto estimar si dee, che fede inspira
Del secol che si volge, anzi dell'anno,
Il concorde sentir [53]! con quanta cura 220
Convienci a quel dell'anno, al qual difforme
Fia quel dell'altro appresso, il sentir nostro
Comparando, fuggir [54] che mai d'un punto
Non sien diversi! E di che tratto innanzi,
Se al moderno si opponga il tempo antico, 225
Filosofando il saper nostro è scorso [55]!

Un già de' tuoi [56], lodato Gino; un franco
Di poetar maestro, anzi di tutte
Scienze ed arti e facoltadi umane,
E menti che fur mai, sono e saranno, 230
Dottore, emendator [57], lascia, mi disse,
I propri affetti tuoi. Di lor non cura
Questa virile età, volta ai severi
Economici studi, e intenta il ciglio [58]
Nelle pubbliche cose. Il proprio petto 235
Esplorar che ti val? Materia al canto
Non cercar dentro te. Canta i bisogni

51. In argomenti anche più sublimi della politica, dell'economia e della statistica: e intende dire nella religione, alludendo al rinascente spiritualismo che informa la cultura liberale.
52. Nel settecento illuminista; *girne*: andarne.
53. La persuasione concorde.
54. Intendi; quanta attenzione ci costa, confrontando le nostre convinzioni con quelle dominanti (da cui poi a loro volta differiranno le convinzioni generali del prossimo), evitare che esse discordino.
55. Quanto è progredito il nostro sapere filosofico, qualora si raffronti il tempo antico con il moderno.
56. Niccolò Tommaseo, che un tempo (*già*) faceva parte della tua cerchia (ora si trovava a Parigi, in esilio). È nota l'inimicizia astiosa che il Tommaseo nutrì costantemente per il Leopardi.
57. Ordina: maestro di tutte le scienze, arti e discipline ecc., e censore degli animi altrui.
58. Accusativo alla greca: con l'occhio intento.

Del secol nostro, e la matura speme [59].
Memorande sentenze! ond'io solenni
Le risa alzai quando sonava il nome 240
Della speranza al mio profano orecchio
Quasi comica voce, o come un suono
Di lingua che dal latte si scompagni [60].
Or torno addietro, ed al passato un corso
Contrario imprendo [61], per non dubbi esempi 245
Chiaro oggimai ch'al secol proprio vuolsi,
Non contraddir, non repugnar, se lode
Cerchi e fama appo lui, ma fedelmente
Adulando ubbidir: così per breve
Ed agiato cammin vassi alle stelle. 250
Ond'io, degli astri desioso, al canto [62]
Del secolo i bisogni omai non penso
Materia far; che a quelli, ognor crescendo,
Provveggono i mercati e le officine
Già largamente; ma la speme io certo 255
Dirò, la speme, onde visibil pegno [63]
Già concedon gli Dei; già, della nova
Felicità principio, ostenta il labbro
De' giovani, e la guancia, enorme il pelo [64].

O salve, o segno salutare [65], o prima 260
Luce della famosa età che sorge.
Mira dinanzi a te come s'allegra
La terra e il ciel, come sfavilla il guardo
Delle donzelle, e per conviti e feste
Qual de' barbati eroi fama già vola. 265
Cresci, cresci alla patria, o maschia certo
Moderna prole. All'ombra de' tuoi velli
Italia crescerà, crescerà tutta
Dalle foci del Tago all'Ellesponto [66]

59. La speranza ormai vicina al compimento.
60. Come il balbettìo insensato di un bimbo. Anche questo, a sottolineare la satira, è un verso petrarchesco (*Rime*, CCXXV, 88).
61. Intraprendo un cammino contrario a quello passato, essendo ormai persuaso (*chiaro*) che bisogna (*vuolsi*) non contraddire il proprio secolo se si vuol godere gloria (*lode*) e fama presso di lui.
62. Costruisci: non penso di far materia al mio canto i bisogni del secolo.
63. Visibile garanzia della quale.
64. I baffi e la barba; era moda diffusa presso i liberali.
65. Annunciatore di salvezza: appunto, il *pelo* del v. 259.
66. Dalla Spagna ai Dardanelli.

Europa, e il mondo poserà sicuro. 270
E tu comincia a salutar col riso
Gl'ispidi genitori, o prole infante,
Eletta agli aurei dì [67]: né ti spauri
L'innocuo nereggiar de' cari aspetti [68].
Ridi, o tenera prole: a te serbato 275
È di cotanto favellare il frutto;
Veder gioia regnar, cittadi e ville,
Vecchiezza e gioventù del par contente,
E le barbe ondeggiar lunghe due spanne.

67. Scelta dalla sorte a vivere nella nuova età dell'oro.
68. Volti: coperti appunto dalle nere barbe; insegna minacciosa, ma in realtà innocua, del moderatismo liberale.

XXXIII

IL TRAMONTO DELLA LUNA[1]

Quale[2] in notte solinga,
Sovra campagne inargentate ed acque,
Là 've[3] zefiro aleggia,
E mille vaghi aspetti
E ingannevoli obbietti 5
Fingon[4] l'ombre lontane
Infra l'onde tranquille
E rami e siepi e collinette e ville;
Giunta al confin del cielo,
Dietro Apennino od Alpe, o del Tirreno 10
Nell'infinito seno
Scende la luna; e si scolora il mondo;
Spariscon l'ombre, ed una[5]
Oscurità la valle e il monte imbruna;
Orba[6] la notte resta, 15
E cantando, con mesta melodia,
L'estremo albor della fuggente luce,
Che dianzi gli fu duce[7],
Saluta il carrettier dalla sua via;

Tal si dilegua, e tale 20
Lascia l'età mortale

1. Strofe libere di endecasillabi e settenari. Composto nel 1836, quando il Leopardi era ospite presso la villa Ferrigni, alle falde del Vesuvio.
2. Va unito a *scende la luna* del v. 12; e gli risponde *Tal* del v. 20: come... così.
3. Là dove.
4. Danno forma a. Soggetto è *l'ombra.*
5. Una sola, uniforme.
6. Priva di luce.
7. Guida.

La giovinezza. In fuga
Van l'ombre e le sembianze
Dei dilettosi inganni; e vengon meno
Le lontane speranze, 25
Ove s'appoggia la mortal natura.
Abbandonata, oscura
Resta la vita. In lei porgendo il guardo,
Cerca il confuso viatore invano
Del cammin lungo che avanzar si sente 30
Meta o ragione; e vede
Che a sé l'umana sede,
Esso a lei veramente è fatto estrano.

Troppo felice e lieta
Nostra misera sorte 35
Parve lassù [8], se il giovanile stato,
Dove ogni ben di mille pene è frutto,
Durasse tutto della vita il corso.
Troppo mite decreto
Quel che sentenzia ogni animale a morte, 40
S'anco mezza la via [9]
Lor non si desse in pria
Della terribil morte assai più dura.
D'intelletti immortali
Degno trovato [10], estremo 45
Di tutti i mali, ritrovàr gli eterni
La vecchiezza, ove fosse
Incolume il desio, la speme estinta,
Secche le fonti del piacer, le pene
Maggiori sempre, e non più dato il bene. 50

Voi, collinette e piagge,
Caduto lo splendor che all'occidente
Inargentava della notte il velo,
Orfane [11] ancor gran tempo
Non resterete; che dall'altra parte 55
Tosto vedrete il cielo
Imbiancar novamente, e sorger l'alba;

8. In cielo, agli dei.
9. Non bastava la morte: era necessario che metà della vita, l'età matura e la vecchiaia, fosse peggio della morte.
10. Invenzione.
11. Prive di luce.

Alla qual poscia seguitando il sole,
E folgorando intorno
Con sue fiamme possenti, 60
Di lucidi torrenti
Inonderà con voi gli eterei campi [12].
Ma la vita mortal, poi che la bella
Giovinezza sparì, non si colora
D'altra luce giammai, né d'altra aurora. 65
Vedova è insino al fine; ed alla notte
Che l'altre etadi [13] oscura,
Segno poser gli Dei la sepoltura.

12. Inonderà voi e il cielo con torrenti di luce.
13. La maturità e la vecchiaia, appunto. *Segno*: meta.

XXXIV

LA GINESTRA

O IL FIORE DEL DESERTO [1]

Καὶ ἠγάπησαν οἱ ἄνθρωποι μᾶλλον τὸ σκότος ἢ τὸ φῶς.

E gli uomini vollero piuttosto le tenebre che la luce.

Giovanni, III, 19

Qui su l'arida schiena
Del formidabil [2] monte
Sterminator Vesevo,
La qual [3] null'altro allegra arbor né fiore,
Tuoi cespi solitari intorno spargi, 5
Odorata ginestra,
Contenta [4] dei deserti. Anco ti vidi
De' tuoi steli abbellir l'erme contrade
Che cingon la cittade
La qual fu donna [5] de' mortali un tempo, 10
E del perduto impero
Par che col grave e taciturno aspetto
Faccian fede e ricordo al passeggero.
Or ti riveggo in questo suol, di tristi
Lochi e dal mondo abbandonati amante, 15
E d'afflitte fortune [6] ognor compagna.
Questi campi cosparsi
Di ceneri infeconde, e ricoperti
Dell'impietrata lava,
Che sotto i passi al peregrin risona; 20
Dove s'annida e si contorce al sole
La serpe, e dove al noto
Cavernoso covil torna il coniglio;

1. Strofe libere di endecasillabi e settenari. Composto a Torre del Greco, nel 1836, quando il Leopardi era ospite nella villa Ferrigni alle falde del Vesuvio.
2. Nel suo valore etimologico: che suscita spavento. *Vesevo*: lat., Vesuvio.
3. Cioè la *schiena*, il dorso della montagna; è oggetto di *allegra*.
4. Paga.
5. Lat., signora, dominatrice: Roma.
6. Gloria decaduta.

Fur liete ville e colti [7],
E biondeggiàr di spiche, e risonaro 25
Di muggito d'armenti;
Fur giardini e palagi,
Agli ozi [8] de' potenti
Gradito ospizio; e fur città famose [9],
Che coi torrenti suoi l'altero monte 30
Dall'ignea bocca fulminando oppresse
Con gli abitanti insieme. Or tutto intorno
Una ruina involve [10],
Dove tu siedi, o fior gentile, e quasi
I danni altrui commiserando, al cielo 35
Di dolcissimo odor mandi un profumo,
Che il deserto consola. A queste piagge [11]
Venga colui che d'esaltar con lode
Il nostro stato ha in uso, e vegga quanto
È il gener nostro in cura 40
All'amante natura. E la possanza
Qui con giusta misura
Anco estimar potrà dell'uman seme,
Cui la dura nutrice [12], ov'ei men teme,
Con lieve moto in un momento annulla 45
In parte, e può con moti
Poco men lievi ancor subitamente
Annichilare in tutto.
Dipinte in queste rive
Son dell'umana gente 50
Le magnifiche sorti e progressive [13].

Qui mira e qui ti specchia,

7. Campi coltivati.
8. Come sempre, nel significato latino di "tempo libero dalle occupazioni pubbliche".
9. Ercolano, Pompei e Stabia, distrutte dall'eruzione del 79 d.C.
10. Una sola, uniforme rovina avvolge.
11. Luoghi.
12. La natura; *cui*: che.
13. Sono parole di Terenzio Mamiami, che il Leopardi (tra l'altro era suo cugino) riprende ironicamente; il Mamiani nella *Dedica* del 1832 ai suoi *Inni Sacri*, muovendo dalla tesi secondo la quale « la vita civile comincia dalla religione », parlava poi della legge evangelica come appello agli uomini affinché si amino vicendevolmente « come uguali e fratelli, chiamati a condurre ad effetto con savia reciprocanza di virtù e di fatiche le sorti magnifiche e progressive dell'umanità ». Cfr., in *Appendice*, la Nota dell'A.

Secol superbo e sciocco,
Che il calle insino allora
Dal risorto pensier segnato innanti [14] 55
Abbandonasti, e volti addietro i passi,
Del ritornar ti vanti,
E procedere il chiami.
Al tuo pargoleggiar [15] gl'ingegni tutti.
Di cui lor sorte rea padre ti fece 60
Vanno adulando, ancora
Ch'a ludibrio talora
T'abbian fra sé [16]. Non io
Con tal vergogna scenderò sotterra;
Ma il disprezzo piuttosto che si serra 65
Di te nel petto mio,
Mostrato avrò quanto si possa aperto:
Ben ch'io sappia che obblio
Preme chi troppo all'età propria increbbe [17].
Di questo mal, che teco 70
Mi fia comune, assai finor mi rido.
Libertà vai sognando, e servo a un tempo
Vuoi di novo il pensiero [18],
Sol per cui risorgemmo
Dalla barbarie in parte, e per cui solo 75
Si cresce in civiltà, che sola in meglio
Guida i pubblici fati [19].
Così ti spiacque il vero
Dell'aspra sorte e del depresso loco
Che natura ci diè. Per questo il tergo 80
Vigliaccamente rivolgesti al lume [20]
Che il fe' palese: e, fuggitivo, appelli
Vil chi lui segue, e solo
Magnanimo colui

14. Che hai abbandonata la strada fino ad allora tracciata dal pensiero risorto nel Rinascimento e proseguito nell'Illuminismo.
15. Vaneggiare infantile.
16. Per quanto talora dentro di sé ti scherniscano.
17. Opprime chi troppo è dispiaciuto alla sua età; ma tale oblio colpirà peraltro non solo lui, ma anche il secolo tutto.
18. Ti limiti a sognare la libertà, e intanto operi per asservire nuovamente al dogma il pensiero, grazie al quale soltanto (*sol per cui*) ecc.
19. Le sorti della comunità umana.
20. Il pensiero, appunto, illuministico, che rese palese la verità della condizione umana, non protetta da alcuna provvidenza.

Che sé schernendo o gli altri, astuto o folle, 85
Fin sopra gli astri il mortal grado estolle[21].

Uom di povero stato e membra inferme
Che sia dell'alma generoso ed alto[22],
Non chiama sé né stima
Ricco d'or né gagliardo, 90
E di splendida vita o di valente
Persona infra la gente
Non fa risibil mostra;
Ma sé di forza e di tesor mendico[23]
Lascia parer senza vergogna, e noma 95
Parlando, apertamente, e di sue cose
Fa stima al vero uguale.
Magnanimo animale[24]
Non credo io già, ma stolto,
Quel che nato a perir, nutrito in pene, 100
Dice, a goder son fatto,
E di fetido orgoglio
Empie le carte, eccelsi fati e nove
Felicità, quali il ciel tutto ignora,
Non pur quest'orbe[25], promettendo in terra 105
A popoli che un'onda
Di mar commosso, un fiato
D'aura maligna, un sotterraneo crollo[26]
Distrugge sì che avanza
A gran pena di lor la rimembranza. 110
Nobil natura è quella
Che a sollevar s'ardisce
Gli occhi mortali incontra
Al comun fato, e che con franca lingua,
Nulla al ver detraendo, 115
Confessa il mal che ci fu dato in sorte,
E il basso stato e frale;
Quella che grande e forte

21. Esalta al di sopra delle stelle.
22. Magnanimo e nobile per quanto invece riguarda l'animo.
23. Privo di forza e ricchezza.
24. Essere vivente.
25. Costruisci: promettendo felicità ignorate non solo dalla terra, ma anche dal cielo.
26. Un maremoto (*commosso*: lat., agitato), una pestilenza, un terremoto.

Mostra sé nel soffrir, né gli odii e l'ire
Fraterne, ancor più gravi 120
D'ogni altro danno, accresce
Alle miserie sue, l'uomo incolpando
Del suo dolor, ma dà la colpa a quella
Che veramente è rea, che de' mortali
Madre è di parto e di voler matrigna [27]. 125
Costei chiama inimica; e incontro a questa
Congiunta esser pensando,
Siccome è il vero, ed ordinata in pria [28]
L'umana compagnia,
Tutti fra sé confederati estima 130
Gli uomini, e tutti abbraccia
Con vero amor, porgendo
Valida e pronta ed aspettando aita [29]
Negli alterni perigli e nelle angosce
Della guerra comune. Ed alle offese 135
Dell'uom armar la destra, e laccio porre
Al vicino ed inciampo,
Stolto [30] crede così qual fora in campo
Cinto d'oste contraria, in sul più vivo
Incalzar degli assalti, 140
Gl'inimici obbliando, acerbe gare
Imprender con gli amici,
E sparger fuga e fulminar col brando
Infra i propri guerrieri.
Così fatti pensieri 145
Quando fien, come fur [31], palesi al volgo,
E quell'orror che primo
Contro l'empia natura
Strinse i mortali in social catena,
Fia ricondotto in parte [32] 150
Da verace saper, l'onesto e il retto
Conversar cittadino,
E giustizia e pietade, altra radice

27. La natura.
28. Sin dalle origini.
29. Aiuto, soccorso.
30. Con valore neutro: considera cosa stolta, quale sarebbe, in un campo cinto da esercito nemico, ecc.
31. Quando saranno, come già altra volta furono: intendi, nell'età della rivoluzione francese.
32. Sarà, in parte, rinnovato negli animi dalla conoscenza della verità.

Avranno allor che non superbe fole [33],
Ove fondata probità del volgo 155
Così star suole in piede
Quale star può quel ch'ha in error la sede.

Sovente in queste rive,
Che, desolate, a bruno
Veste il flutto indurato [34], e par che ondeggi, 160
Seggo la notte; e su la mesta landa
In purissimo azzurro
Veggo dall'alto fiammeggiar le stelle,
Cui di lontan fa specchio
Il mare, e tutto di scintille in giro 165
Per lo vòto seren brillare il mondo.
E poi che gli occhi a quelle luci appunto,
Ch'a lor sembrano un punto,
E sono immense, in guisa
Che un punto a petto a lor [35] son terra e mare 170
Veracemente; a cui
L'uomo non pur, ma questo
Globo ove l'uomo è nulla,
Sconosciuto è del tutto; e quando miro
Quegli ancor più senz'alcun fin remoti 175
Nodi quasi di stelle [36],
Ch'a noi paion qual nebbia, a cui non l'uomo
E non la terra sol, ma tutte in uno,
Del numero infinite e della mole,
Con l'aureo sole insiem, le nostre stelle 180
O sono ignote, o così paion come
Essi alla terra, un punto
Di luce nebulosa; al pensier mio
Che sembri allor, o prole
Dell'uomo? E rimembrando 185
Il tuo stato quaggiù, di cui fa segno
Il suol ch'io premo; e poi dall'altra parte,
Che te signora e fine
Credi tu data al Tutto, e quante volte
Favoleggiar ti piacque, in questo oscuro 190

33. Le credenze religiose, che vedono nell'uomo una creatura privilegiata.
34. La lava pietrificata.
35. A confronto di esse.
36. Le nebulose.

Granel di sabbia, il qual di terra ha nome,
Per tua cagion, dell'universe cose
Scender gli autori [37], e conversar sovente
Co' tuoi piacevolmente; e che i derisi
Sogni rinnovellando [38], ai saggi insulta 195
Fin la presente età, che in conoscenza
Ed in civil costume
Sembra tutte avanzar; qual moto allora,
Mortal prole infelice, o qual pensiero
Verso te finalmente il cor m'assale? 200
Non so se il riso o la pietà prevale.

Come d'arbor cadendo un picciol pomo,
Cui [39] là nel tardo autunno
Maturità senz'altra forza atterra,
D'un popol di formiche i dolci alberghi, 205
Cavati in molle gleba [40]
Con gran lavoro, e l'opre
E le ricchezze ch'adunate a prova
Con lungo affaticar l'assidua gente [41]
Avea provvidamente al tempo estivo, 210
Schiaccia, diserta [42] e copre
In un punto; così d'alto piombando,
Dall'utero [43] tonante
Scagliata al ciel profondo,
Di ceneri e di pomici e di sassi 215
Notte e ruina, infusa [44]
Di bollenti ruscelli,
O pel montano fianco
Furiosa tra l'erba
Di liquefatti massi 220
E di metalli e d'infocata arena
Scendendo immensa piena,
Le cittadi che il mar là su l'estremo

37. Ti piacque favoleggiare che scendessero gli dei, interessati alla tua vita.
38. Rinnovando il sogno spiritualistico e antropocentrico, dissolto dalla critica settecentesca.
39. Che: oggetto di *atterra*.
40. Scavati nella molle terra.
41. Che con lunga fatica le laboriose formiche avevano a gara raccolte.
42. Distrugge.
43. Dalle viscere del vulcano.
44. Mescolata.

Lido aspergea [45], confuse
E infranse e ricoperse 225
In pochi istanti: onde su quelle or pasce
La capra, e città nove
Sorgon dall'altra banda [46], a cui sgabello
Son le sepolte, e le prostrate mura
L'arduo [47] monte al suo piè quasi calpesta. 230
Non ha natura al seme
Dell'uom più stima o cura
Che alla formica: e se più rara in quello
Che nell'altra è la strage,
Non avvien ciò d'altronde 235
Fuor che l'uom sue prosapie ha men feconde [48].

Ben mille ed ottocento
Anni varcàr poi che spariro, oppressi
Dall'ignea forza, i popolati seggi [49],
E il villanello intento 240
Ai vigneti, che a stento in questi campi
Nutre la morta zolla e incenerita,
Ancor leva lo sguardo
Sospettoso alla vetta
Fatal, che nulla mai [50] fatta più mite 245
Ancor siede tremenda, ancor minaccia
A lui strage ed ai figli ed agli averi
Lor poverelli. E spesso
Il meschino in sul tetto
Dell'ostel villereccio [51], alla vagante 250
Aura giacendo tutta notte insonne,
E balzando più volte, esplora il corso
Del temuto bollor [52], che si riversa
Dall'inesausto grembo
Su l'arenoso dorso, a cui [53] riluce 255

45. Bagnava.
46. Intendi: dalla parte verso il mare, la terra fu lasciata a pascolo; più sopra, dalla parte verso il monte, sorsero nuovi borghi.
47. Alto, inaccessibile.
48. Per altra ragione, se non perché le generazioni dell'uomo sono meno feconde.
49. Le sedi abitate; *ignea*: del fuoco.
50. Per nulla affatto.
51. Della rustica dimora. *Alla vagante aura*: all'aperto.
52. Della lava.
53. Al bagliore del quale (*bollor*: o anche del *dorso*, ricoperto dalla lava incandescente).

Di Capri la marina
E di Napoli il porto e Mergellina.
E se appressar lo vede, o se nel cupo
Del domestico pozzo ode mai l'acqua
Fervendo gorgogliar, desta i figliuoli, 260
Desta la moglie in fretta, e via, con quanto
Di lor cose rapir posson, fuggendo,
Vede lontan l'usato
Suo nido, e il picciol campo,
Che gli fu dalla fame unico schermo [54], 265
Preda al flutto rovente,
Che crepitando giunge, e inesorato
Durabilmente sovra quei si spiega.
Torna al celeste raggio
Dopo l'antica obblivion l'estinta 270
Pompei, come sepolto
Scheletro, cui di terra
Avarizia o pietà rende all'aperto [55];
E dal deserto foro
Diritto infra le file 275
Dei mozzi colonnati il peregrino
Lunge contempla il bipartito giogo [56]
E la cresta fumante.
Che alla sparsa ruina ancor minaccia.
E nell'orror della secreta [57] notte 280
Per li vacui teatri,
Per li templi deformi [58] e per le rotte
Case, ove i parti il pipistrello asconde,
Come sinistra face
Che per vòti palagi atra s'aggiri, 285
Corre il baglior della funerea lava,
Che di lontan per l'ombre
Rosseggia e i lochi intorno intorno tinge.
Così, dell'uomo ignara e dell'etadi
Ch'ei chiama antiche, e del seguir che fanno 290
Dopo gli avi i nepoti [59],
Sta natura ognor verde, anzi procede

54. Difesa.
55. Che dalla terra la cupidigia o la pietà disseppellisce.
56. Da lontano contempla la doppia cima del massiccio; il Vesuvio, appunto, e il monte Somma.
57. Che tutto cela.
58. Che hanno perso, nella rovina, la loro bellezza.
59. E del succedersi delle generazioni. *Verde*: giovane.

Per sì lungo cammino
Che sembra star [60]. Caggiono i regni intanto,
Passan genti e linguaggi: ella nol vede: 295
E l'uom d'eternità s'arroga il vanto.

E tu, lenta [61] ginestra,
Che di selve odorate
Queste campagne dispogliate adorni,
Anche tu presto alla crudel possanza 300
Soccomberai del sotterraneo foco,
Che ritornando al loco
Già noto, stenderà l'avaro [62] lembo
Su tue molli foreste. E piegherai
Sotto il fascio [63] mortal non renitente 305
Il tuo capo innocente:
Ma non piegato insino allora indarno
Codardamente supplicando innanzi
Al futuro oppressor; ma non eretto
Con forsennato orgoglio inver le stelle, 310
Né sul deserto, dove
E la sede e i natali
Non per voler ma per fortuna [64] avesti;
Ma più saggia, ma tanto
Meno inferma dell'uom, quanto le frali 315
Tue stirpi non credesti
O dal fato o da te fatte immortali.

60. I suoi mutamenti sono così lenti, che sembra immobile. *Caggiono*: cadono.
61. Lat., pieghevole, flessibile. *Selve* (e più sotto *foreste*): cespugli.
62. Lat., avido.
63. Peso. *Non renitente*: senza opporre resistenza.
64. Caso.

XXXV

IMITAZIONE[1]

Lungi dal proprio ramo,
Povera foglia frale,
Dove vai tu? – Dal faggio
Là dov'io nacqui, mi divise il vento.
Esso, tornando, a volo 5
Dal bosco alla campagna,
Dalla valle mi porta alla montagna.
Seco perpetuamente
Vo pellegrina, e tutto l'altro ignoro.
Vo dove ogni altra cosa, 10
Dove naturalmente
Va la foglia di rosa,
E la foglia d'alloro.

1. Libero rifacimento da una favola di A. V. Arnault (1766-1834), che riproduciamo qui sotto e che il Leopardi presumibilmente poté leggere su « Lo Spettatore » del 1818 (XI, 12); ma la composizione del canto va assegnata a una data posteriore al 1828, per il metro usato (strofa libera di endecasillabi e settenari).

LA FEUILLE De ta tige détachée, / Pauvre feuille desséchée, / Où vas-tu? - Je n'en sais rien. / L'orage a brisé le chêne / Qui seul était mon soutien. / De son inconstante haleine / Le zéphir ou l'aquilon / Depuis ce jour me promène / De la forêt à la plaine, / De la montagne au vallon. / Je vais où le vente me mène, / Sans me plaindre ou m'effrayer; / Je vais où va toute chose; / Où va la feuille de rose / Et la feuille de laurier. /

XXXVI

SCHERZO [1]

Quando fanciullo io venni
A pormi con le Muse in disciplina [2],
L'una di quelle mi pigliò per mano;
E poi tutto quel giorno
La [3] mi condusse intorno 5
A veder l'officina.
Mostrommi a parte a parte [4]
Gli strumenti dell'arte,
E i servigi diversi
A che [5] ciascun di loro 10
S'adopra nel lavoro
Delle prose e de' versi.
Io mirava, e chiedea:
Musa, la lima ov'è? Disse la Dea:
La lima è consumata; or facciam senza. 15
Ed io, ma di rifarla
Non vi cal, soggiungea, quand'ella è stanca [6] ?
Rispose: hassi a rifar, ma il tempo manca.

1. Strofa libera di endecasillabi e settenari. Composto a Pisa il 15 febbraio 1828.
2. Alla scuola delle Muse.
3. Ella (toscanismo).
4. Uno per uno.
5. I diversi usi ai quali ecc.
6. Non vi preoccupate di rifarla, visto che è logora. *Hassi*: si deve.

FRAMMENTI

XXXVII [1]

ALCETA

Odi, Melisso: io vo' contarti un sogno
Di questa notte, che mi torna a mente
In riveder la luna. Io me ne stava
Alla finestra che risponde [2] al prato,
Guardando in alto: ed ecco all'improvviso 5
Distaccasi la luna; e mi parea
Che quanto nel cader s'approssimava,
Tanto crescesse al guardo; infin che venne
A dar di colpo in mezzo al prato; ed era
Grande quanto una secchia, e di scintille 10
Vomitava una nebbia, che stridea
Sì forte come quando un carbon vivo
Nell'acqua immergi e spegni. Anzi a quel modo
La luna, come ho detto, in mezzo al prato
Si spegneva annerando a poco a poco, 15
E ne fumavan l'erbe intorno intorno.
Allor mirando in ciel, vidi rimaso
Come un barlume, o un'orma, anzi una nicchia,
Ond'ella fosse svelta [3]; in cotal guisa,
Ch'io n'agghiacciava; e ancor non m'assicuro. 20

MELISSO

E ben hai che temer, che agevol cosa
Fora [4] cader la luna in sul tuo campo.

1. Idillio in endecasillabi sciolti. Composto a Recanati nel 1819, fu dapprima pubblicato con il titolo *Lo spavento notturno*.
2. Si affaccia.
3. Di dove fosse stata divelta. *Rimaso*: rimasto.
4. Sarebbe.

ALCETA

Chi sa? non veggiam noi spesso di state [5]
Cader le stelle?

MELISSO

Egli ci ha [6] tante stelle 25
Che picciol danno è cader l'una o l'altra
Di loro, e mille rimaner. Ma sola
Ha questa luna in ciel, che da nessuno
Cader fu vista mai se non in sogno.

5. D'estate.
6. Ci sono: cfr., al v. 28, *Ha*.

XXXVIII [1]

Io qui vagando al limitare intorno [2],
Invan la pioggia invoco e la tempesta,
Acciò che la ritenga al mio soggiorno [3].

Pure il vento muggìa nella foresta,
E muggìa tra le nubi il tuono errante, 5
Pria che l'aurora in ciel fosse ridesta.

O care nubi, o cielo, o terra, o piante,
Parte la donna mia: pietà, se trova
Pietà nel mondo un infelice amante.

O turbine, or ti sveglia, or fate prova 10
Di sommergermi, o nembi, insino a tanto
Che il sole ad altre terre il dì rinnova [4].

S'apre il ciel, cade il soffio, in ogni canto
Posan l'erbe e le frondi, e m'abbarbaglia
Le luci [5] il crudo Sol pregne di pianto. 15

1. Terzine a rime incatenate. Composto a Recanati nel 1818, faceva parte della seconda elegia ispirata dall'amore per Gertrude Cassi.
2. Intorno alla soglia della casa.
3. Affinché trattenga la mia donna a soggiornare con me.
4. Finché il sole non riporterà la luce agli antipodi: per tutta una giornata, dunque.
5. Gli occhi.

XXXIX[1]

Spento il diurno raggio in occidente,
E queto il fumo delle ville, e queta
De' cani era la voce e della gente;

Quand'ella, volta all'amorosa meta[2],
Si ritrovò nel mezzo ad una landa 5
Quanto foss'altra mai vezzosa e lieta.

Spandeva il suo chiaror per ogni banda
La sorella del sole[3], e fea d'argento
Gli arbori ch'a quel loco eran ghirlanda.

I ramuscelli ivan cantando al vento, 10
E in un con l'usignol che sempre piagne
Fra i tronchi un rivo fea dolce lamento.

Limpido il mar da lungi, e le campagne
E le foreste, e tutte ad una ad una
Le cime si scoprian delle montagne. 15

In queta ombra giacea la valle bruna,
E i collicelli intorno rivestia
Del suo candor la rugiadosa luna.

Sola tenea la taciturna via
La donna, e il vento che gli odori spande, 20
Molle passar sul volto si sentia.

1. Terzine a rima incatenata. È l'esordio del c. 1 dell'*Appressamento della morte*, composto a Recanati fra il novembre e il dicembre 1816.
2. Andando verso il convegno amoroso.
3. La luna (Diana sorella di Febo).

Così l'eterna Roma
In duri ozi sepolta
Femmineo fato[43] avviva un'altra volta. 105

43. La morte di una donna (è soggetto della frase). *Avviva un'altra volta*: ridesta nuovamente alla vita.

V

A UN VINCITORE NEL PALLONE [1]

Di gloria il viso e la gioconda [2] voce,
Garzon bennato, apprendi,
E quanto al femminile ozio sovrasti
La sudata [3] virtude. Attendi attendi,
Magnanimo campion (s'alla veloce 5
Piena degli anni il tuo valor contrasti
La spoglia di tuo nome [4]), attendi e il core
Movi ad alto desio [5]. Te l'echeggiante
Arena e il circo, e te fremendo appella
Ai fatti illustri il popolar favore; 10
Te rigoglioso dell'età novella [6]
Oggi la patria cara
Gli antichi esempi a rinnovar prepara.

Del barbarico [7] sangue in Maratona
Non colorò la destra 15
Quei che [8] gli atleti ignudi e il campo eleo,
Che stupido mirò l'ardua palestra,
Né la palma beata e la corona
D'emula brama il punse [9]. E nell'Alfeo

1. Canzone, composta a Recanati nel novembre 1821.
2. Che dà gioia; *apprendi*: impara a conoscere.
3. Che costa fatica; *attendi*: fa' attenzione.
4. Così (*se* ha valore ottativo) il tuo valore possa sottrarre il tuo nome allo scorrere del tempo, che altrimenti ne farebbe sua preda (*spoglia*).
5. Il singolare per il plurale: desiderio di grandi cose.
6. Nel rigoglio della giovinezza.
7. Dei persiani.
8. Costruisci: colui che senza muoversi a entusiasmo (*stupido*: lat.) assistette ai giochi di Olimpia (*il campo eleo*: Olimpia si trovava nell'Elide), ecc.; *ardua*: dove si affrontano difficili prove.
9. Lo stimolò all'emulazione.

Forse le chiome polverose e i fianchi 20
Delle cavalle vincitrici asterse [10]
Tal che le greche insegne e il greco acciaro
Guidò de' Medi [11] fuggitivi e stanchi
Nelle pallide torme; onde sonaro
Di sconsolato grido 25
L'alto sen dell'Eufrate e il servo lido [12].

Vano dirai quel che [13] disserra e scote
Della virtù nativa
Le riposte faville? e che del fioco
Spirto vital negli egri [14] petti avviva 30
Il caduco fervor? Le meste rote
Da poi che Febo instiga [15], altro che gioco
Son l'opre de' mortali? ed è men vano
Della menzogna il vero? A noi di lieti
Inganni e di felici ombre soccorse 35
Natura stessa: e là dove l'insano
Costume ai forti errori esca non porse [16],
Negli ozi oscuri e nudi
Mutò la gente i gloriosi studi.

Tempo forse verrà ch'alle ruine 40
Delle italiche moli [17]
Insultino gli armenti, e che l'aratro
Sentano i sette colli; e pochi Soli
Forse fien volti [18], e le città latine
Abiterà la cauta volpe, e l'atro 45
Bosco mormorerà fra le alte mura;
Se la funesta delle patrie cose
Obblivion [19] dalle perverse menti

10. Lavò (*chiome*: criniere). *Tal che*: uno di coloro che.
11. Persiani; dipende da *torme*. *Nelle*: contro le; *onde*: e per questo.
12. Le acque profonde dell'Eufrate e la terra persiana, schiava di un regime tirannico.
13. Ciò che: il gioco.
14. Infermi; *caduco*: destinato subito a spegnersi.
15. Costruisci: da quando Febo guida il carro del sole; *meste*: perché illuminano lo spettacolo dell'infelicità umana (enallage).
16. La corruzione dei tempi ha tolto alimento (*esca*) alle illusioni generose (*forti errori*). *Studi*: lat., occupazioni, negozi.
17. Lat., monumenti; *insultino*: lat., saltino intorno.
18. Saranno trascorsi pochi anni.
19. Dimenticanza, abbandono; *perverse menti*: animi pervertiti; *isgombrano*: dissipano.

Non isgombrano i fati, e la matura
Clade [20] non torce dalle abbiette genti 50
Il ciel fatto cortese
Dal rimembrar delle passate imprese.

Alla patria infelice, o buon garzone,
Sopravviver ti doglia [21].
Chiaro per lei stato saresti allora 55
Che del serto fulgea, di ch'ella è spoglia,
Nostra colpa e fatal [22]. Passò stagione;
Che nullo di tal madre oggi s'onora:
Ma per te stesso [23] al polo ergi la mente.
Nostra vita a che val? solo a spregiarla: 60
Beata allor che ne' perigli avvolta,
Se stessa obblia, né delle putri e lente [24]
Ore il danno misura e il flutto ascolta;
Beata allor che il piede
Spinto al varco leteo [25], più grata riede. 65

20. L'imminente rovina; è oggetto di *torce*, "storna". *Cortese*: benigno.
21. Ti spiaccia.
22. Avresti potuto ottenere la fama per la gloria della patria, quando essa si cingeva della corona che ora, per colpa nostra e del fato, le è stata tolta.
23. In opposizione a *per lei* del v. 55; *polo*: lat., cielo: fuor di metafora, "ad alte mete".
24. Detto come di una corrente; così *il flutto*, "lo scorrere".
25. Dopo essersi affacciata alla soglia della morte (il Lete è uno dei fiumi infernali); quando si confronta con il pericolo, la vita torna, come riscoperta, ad esserci più cara.

VI

BRUTO MINORE [1]

Poi che divelta, nella tracia [2] polve
Giacque ruina immensa
L'italica virtute, onde [3] alle valli
D'Esperia verde, e al tiberino lido,
Il calpestio de' barbari cavalli 5
Prepara il fato, e dalle selve ignude
Cui l'Orsa algida preme [4],
A spezzar le romane inclite mura
Chiama i gotici brandi;
Sudato, e molle [5] di fraterno sangue, 10
Bruto per l'atra notte in erma sede,
Fermo già di morir [6], gl'inesorandi
Numi e l'averno accusa,
E di feroci [7] note
Invan la sonnolenta aura percote. 15

Stolta virtù, le cave [8] nebbie, i campi
Dell'inquiete larve

1. Canzone, composta a Recanati nel dicembre 1821. Bruto, uno dei protagonisti della congiura contro Cesare, si suicidò dopo la sconfitta di Filippi ad opera di Antonio e Ottaviano. Il Leopardi ne fa un alfieriano eroe della libertà.
2. Filippi si trovava per la verità in Macedonia, non in Tracia.
3. Costruisci: per la qual cosa il fato prepara all'Italia, con la decadenza della libertà romana, le invasioni barbariche. *Esperia*: Italia, detta *verde* per enallage (verdi sono le valli).
4. Che la costellazione dell'Orsa sovrasta; anche qui *algida* (gelida) per enallage. *Inclite*: gloriose.
5. Lat., bagnato. *In erma sede*: in luogo solitario.
6. Risoluto al suicidio; *inesorandi*: inesorabili.
7. Lat., fiere; *note*: accenti, parole: quelle che s'immaginano pronunciate da Bruto nelle strofe seguenti.
8. Lat., inconsistenti. *Campi*: gli spazi del sogno, dove si agitano fantasmi incerti; *scole*: i luoghi, dove tu insegni.

Son le tue scole, e ti si volge a tergo [9]
Il pentimento. A voi, marmorei numi,
(Se numi avete in Flegetonte albergo 20
O su le nubi [10]) a voi ludibrio e scherno
È la prole infelice
A cui templi chiedeste, e frodolenta
Legge al mortale insulta [11].
Dunque tanto i celesti odii commove 25
La terrena pietà [12]? dunque degli empi
Siedi, Giove, a tutela? e quando esulta
Per l'aere il nembo, e quando
Il tuon rapido spingi,
Ne' [13] giusti e pii la sacra fiamma stringi? 30

Preme [14] il destino invitto e la ferrata
Necessità gl'infermi
Schiavi di morte: e se a cessar non vale [15]
Gli oltraggi lor, de' necessari danni
Si consola il plebeo [16]. Men duro è il male 35
Che riparo non ha? dolor non sente
Chi di speranza è nudo?
Guerra mortale, eterna, o fato indegno,
Teco il prode guerreggia,
Di cedere inesperto [17]; e la tiranna 40
Tua destra [18], allor che vincitrice il grava,
Indomito scrollando si pompeggia,
Quando nell'alto lato [19]
L'amaro ferro intride,
E maligno alle nere ombre sorride. 45

Spiace agli Dei chi violento [20] irrompe

9. Ti vien dietro.
10. Se pur abitate l'inferno o il cielo; il Flegetonte è uno dei fiumi infernali.
11. Le vostre leggi, ingannandoli, sono offesa per gli uomini.
12. Lat.: la religione cui gli uomini si assoggettano.
13. Contro i; *pii*: devoti.
14. Lat., opprime; *ferrata*: ferrea.
15. Non ha la forza di allontanare.
16. L'uomo vile si consola in nome della loro necessità.
17. Lat., incapace.
18. Oggetto di *scrollando*; *si pompeggia*: si gloria.
19. Immerge (*intride*) profondamente nel fianco.
20. Operando violenza su di sé: suicidandosi. *Tartaro*: il regno dei morti.

Nel Tartaro. Non fora [21]
Tanto valor ne' molli eterni petti.
Forse i travagli nostri, e forse il cielo
I casi acerbi e gl'infelici affetti 50
Giocondo [22] agli ozi suoi spettacol pose?
Non fra sciagure e colpe,
Ma libera ne' boschi e pura etade [23]
Natura a noi prescrisse,
Reina un tempo e Diva. Or poi ch'a terra 55
Sparse i regni beati [24] empio costume,
E il viver macro [25] ad altre leggi addisse;
Quando gl'infausti giorni
Virile alma ricusa,
Riede [26] natura, e il non suo dardo accusa? 60

Di colpa ignare e de' lor proprii danni
Le fortunate belve
Serena adduce al non previsto passo [27]
La tarda età. Ma se spezzar la fronte
Ne' rudi tronchi, o da montano sasso 65
Dare al vento precipiti [28] le membra,
Lor suadesse affanno;
Al misero desio nulla contesa
Legge arcana farebbe
O tenebroso ingegno [29]. A voi, fra quante 70
Stirpi il cielo avvivò, soli fra tutte,
Figli di Prometeo [30], la vita increbbe;
A voi le morte ripe,
Se il fato ignavo pende [31],
Soli, o miseri, a voi Giove contende. 75

21. Non ci sarebbe. *Eterni*: degli dei.
22. Da riferire a *spettacol*; soggetto dell'intera frase è *il cielo*.
23. Vita; costruisci: la natura, un tempo regina e dea, ci assegnò ecc.
24. L'impero della natura; *empio costume*: la ragione.
25. Con valore predicativo: rendendolo meschino; *addisse*: assoggettò.
26. Ritorna; *il non suo dardo*: il fatto che la morte non sia stata data da lei.
27. A morte impreveduta.
28. Precipitandosi. *Lor suadesse*: lat., li persuadesse a; soggetto è *affanno*.
29. Inventore di dottrine tenebrose, quali i miti dell'oltretomba e della sopravvivenza dell'anima.
30. Prometeo diede vita al primo uomo. *Le morte ripe*: le rive della morte; oggetto di *contende* (vieta).
31. Se la morte tarda a venire.

E tu dal mar cui nostro sangue irriga,
Candida luna, sorgi
E l'inquieta notte e la funesta
All'ausonio valor [32] campagna esplori.
Cognati [33] petti il vincitor calpesta, 80
Fremono i poggi, dalle somme vette
Roma antica ruina;
Tu sì placida sei? Tu la nascente
Lavinia prole [34], e gli anni
Lieti vedesti, e i memorandi allori; 85
E tu su l'alpe l'immutato raggio
Tacita verserai quando ne' danni [35]
Del servo italo nome,
Sotto barbaro piede
Rintronerà quella solinga sede. 90

Ecco tra nudi sassi o in verde ramo
E la fera e l'augello,
Del consueto obblio gravido il petto [36],
L'alta ruina ignora e le mutate
Sorti del mondo: e come prima [37] il tetto 95
Rosseggerà del villanello industre,
Al mattutino canto
Quel desterà le valli, e per le balze
Quella l'inferma plebe [38]
Agiterà delle minori belve. 100
Oh casi! oh gener vano [39]! abbietta parte
Siam delle cose; e non le tinte glebe [40],
Non gli ululati spechi
Turbò nostra sciagura,
Né scolorò le stelle umana cura [41]. 105

32. Alla virtù degli italiani, che qui hanno perso la libertà; *esplori*: illumini.
33. Fraterni: *Ruina*: precipita.
34. I discendenti di Lavinia e di Enea: i romani. *Allori*: trionfi.
35. Alla rovina; *servo*: la nazione (*nome*) divenuta schiava.
36. Accusativo di relazione: con l'animo occupato dal sonno; *ruina*: la rovina di Roma.
37. Non appena.
38. La moltitudine indifesa.
39. Degli uomini.
40. La terra intinta del nostro sangue; *ululati spechi*: le caverne dove risuonano le grida di dolore.
41. La sofferenza degli uomini.

Non io d'Olimpo o di Cocito i sordi
Regi [42], o la terra indegna,
E non la notte moribondo appello;
Non te, dell'atra morte ultimo raggio [43],
Conscia futura età. Sdegnoso avello [44] 110
Placàr singulti, ornàr parole e doni
Di vil caterva? In peggio
Precipitano i tempi; e mal s'affida
A putridi nepoti
L'onor [45] d'egregie menti e la suprema 115
De' miseri vendetta. A me dintorno
Le penne il bruno augello [46] avido roti;
Prema la fera, e il nembo
Tratti l'ignota spoglia;
E l'aura il nome e la memoria accoglia. 120

42. Gli dei del cielo e dell'inferno.
43. Ultima speranza che illumina il buio della morte. *Conscia*: che sola potrai giudicare.
44. La tomba di uno spirito sdegnoso; *placàr, ornàr*: placarono, ornarono. *Caterva*: turba.
45. Il compito di rendere onore; così *vendetta*: il dovere di vendicare.
46. Il corvo. *Prema*: calpesti; come *tratti* (trascini straziando), ha per oggetto *spoglia*, "corpo".

VII

ALLA PRIMAVERA

O DELLE FAVOLE ANTICHE [1]

Perché [2] i celesti danni
Ristori il sole, e perché l'aure inferme
Zefiro avvivi, onde fugata [3] e sparta
Delle nubi la grave ombra s'avvalla [4];
Credano [5] il petto inerme 5
Gli augelli al vento, e la diurna luce
Novo d'amor desio, nova speranza
Ne' penetrati boschi e fra le sciolte
Pruine [6] induca alle commosse belve;
Forse alle stanche e nel dolor sepolte 10
Umane menti riede
La bella età [7] cui la sciagura e l'atra
Face del ver [8] consunse
Innanzi tempo? Ottenebrati e spenti
Di febo [9] i raggi al misero non sono 15
In sempiterno? ed anco,
Primavera odorata, inspiri e tenti
Questo gelido cor, questo ch'amara
Nel fior degli anni suoi vecchiezza impara [10]?

Vivi tu, vivi, o santa 20

1. Canzone, composta a Recanati nel gennaio 1822.
2. Concessivo: per quanto. *Celesti*: provocati dal cielo, durante l'inverno.
3. Messa in fuga dal quale; Zefiro è il vento della primavera.
4. È dispersa per la valle.
5. Lat., affidino; dipende sempre dal *perché* iniziale.
6. Nevi; *induca*: infonda.
7. Ritorna nell'animo degli uomini la giovinezza; *cui*: che, oggetto di *consunse*.
8. La luce funesta della verità.
9. Del sole; *anco*: ancora.
10. Impara a conoscere.

Natura? vivi e il dissueto [11] orecchio
Della materna voce il suono accoglie?
Già di candide ninfe i rivi albergo,
Placido albergo e specchio
Furo i liquidi fonti [12]. Arcane danze 25
D'immortal piede [13] i ruinosi gioghi
Scossero e l'ardue selve (oggi romito
Nido de' venti): e il pastorel ch'all'ombre
Meridiane [14] incerte ed al fiorito
Margo adducea de' fiumi 30
Le sitibonde agnelle, arguto [15] carme
Sonar d'agresti Pani
Udì lungo le ripe; e tremar l'onda
Vide, e stupì, che non palese al guardo
La faretrata Diva [16] 35
Scendea ne' caldi flutti, e dall'immonda
Polve tergea della sanguigna caccia
Il niveo lato [17] e le verginee braccia.

Vissero i fiori e l'erbe,
Vissero i boschi un dì. Conscie [18] le molli 40
Aure, le nubi e la titania lampa
Fur dell'umana gente, allor che ignuda
Te per le piagge e i colli,
Ciprigna luce [19], alla deserta notte
Con gli occhi intenti il viator seguendo, 45
Te compagna alla via, te de' mortali
Pensosa immaginò. Che se gl'impuri
Cittadini consorzi e le fatali [20]
Ire fuggendo e l'onte,
Gl'ispidi tronchi al petto altri [21] nell'ime 50

11. Lat., non assuefatto; *materna*: della natura.
12. Lat., furono le acque trasparenti; *albergo*: dimora.
13. Delle ninfe, appunto. *Ruinosi*: scoscesi; *ardue*: impervie.
14. Del mezzodì; *margo*: margine, riva.
15. Lat., stridulo; *Pani*: Pan era il dio dei boschi: fauni.
16. Diana, dea della caccia.
17. Lat.: fianchi (il singolare per il plurale).
18. Consapevoli e partecipi; *titania lampa*: il sole, figlio del titano Iperione.
19. La luce di Venere (*Ciprigna* da Cipro), ossia la luna (più frequentemente identificata con Diana). *Alla*: nella.
20. Funeste.
21. Soggetto indefinito: alcuno; da collegare a *credé* del v. 56; *nell'ime selve*: nel profondo delle selve.

Selve remoto accolse,
Viva fiamma agitar [22] l'esangui vene,
Spirar le foglie, e palpitar segreta
Nel doloroso amplesso
Dafne o la mesta Filli, o di Climene [23] 55
Pianger credé la sconsolata prole
Quel che sommerse in Eridano il sole.

Né [24] dell'umano affanno,
Rigide balze, i luttuosi accenti
Voi negletti ferìr mentre le vostre 60
Paurose latebre [25] Eco solinga,
Non vano error de' venti,
Ma di ninfa abitò misero spirto,
Cui [26] grave amor, cui duro fato escluse
Delle tenere membra. Ella per grotte, 65
Per nudi scogli e desolati alberghi,
Le non ignote ambasce [27] e l'alte e rotte
Nostre querele al curvo
Etra insegnava. E te [28] d'umani eventi
Disse la fama esperto, 70
Musico augel che tra chiomato bosco
Or vieni il rinascente anno cantando,
E lamentar [29] nell'alto

22. Dipende, come *spirare* e *palpitar*, da *credé*. Dafni fu trasformata in alloro mentre fuggiva Apollo; Filli in mandorlo, dopo che si uccise credendosi abbandonata da Demofoonte.
23. Costruisci: o le figlie di Climene (trasformate in pioppi) piangere il fratello Fetonte. Questi aveva ottenuto dal padre Apollo di guidare il carro del sole, ma finì troppo vicino alla terra rischiando di bruciarla: Giove lo fulminò precipitandolo nel Po (*Eridano*).
24. Va unito a *negletti*: e non inascoltati vi giunsero i lamenti degli uomini; *mentre*: finché.
25. Lat., anfratti. *Error*: come *misero spirto*, apposizione di *Eco*: concepita non come un inganno del vento, ma come l'anima di una ninfa.
26. Che; *fato*: morte. Eco, non riamata da Narciso, si consumò per il dolore e ne rimase la sola voce.
27. I nostri dolori, a lei noti per prova. *Curvo etra*: la volta del cielo.
28. L'usignolo; va riferito a *musico augel* del v. 71. In usignolo fu tramutata Filomela che, violata dal cognato Tereo, prese di lui con l'aiuto della sorella Progne atroce vendetta, imbandendogli le carni del figlioletto Iti; Progne fu trasformata in rondine, Tereo in upupa.
29. Dipende da *te... disse la fama* dei vv. 69-70; *alto ozio*: profonda quiete.

Ozio de' campi, all'aer muto e fosco,
Antichi danni e scellerato scorno, 75
E d'ira e di pietà pallido il giorno [30].

Ma non cognato [31] al nostro
Il gener tuo; quelle tue varie note
Dolor non forma, e te di colpa ignudo,
Men caro assai la bruna valle asconde. 80
Ahi ahi, poscia che vote
Son le stanze d'Olimpo [32], e cieco il tuono
Per l'atre nubi e le montagne errando,
Gl'iniqui petti e gl'innocenti a paro
In freddo orror dissolve; e poi ch'estrano 85
Il suol nativo, e di sua prole ignaro
Le meste anime educa [33];
Tu le cure infelici e i fati indegni
Tu de' mortali ascolta,
Vaga natura, e la favilla antica 90
Rendi allo spirto mio; se tu pur vivi,
E se de' nostri affanni [34]
Cosa veruna in ciel, se nell'aprica
Terra s'alberga o nell'equoreo seno,
Pietosa no, ma spettatrice almeno. 90

30. Secondo il mito, per l'orrore della tragedia il sole velò la sua luce.
31. Non più affine, fraterno: intendi, per noi che abbiamo cessato di aver fede nel mito.
32. Da quando l'Olimpo non è più abitato dagli dei. *Cieco*: non più diretto da Giove, come si credeva, contro gli iniqui.
33. Lat., alleva, fa crescere. Leggi *edùca*.
34. Costruisci: e se esiste alcuna cosa in cielo, in terra o nel mare che, se non pietosa, sia almeno testimone dei nostri affanni. *Aprica*: illuminata dal sole; *equoreo*: lat., del mare.

VIII

INNO AI PATRIARCHI,

O DE' PRINCIPII DEL GENERE UMANO [1]

E [2] voi de' figli dolorosi il canto,
Voi dell'umana prole incliti padri,
Lodando ridirà; molto [3] all'eterno
Degli astri agitator più cari, e molto
Di noi men lacrimabili nell'alma 5
Luce prodotti [4]. Immedicati affanni [5]
Al misero mortal, nascere al pianto,
E dell'etereo lume assai più dolci
Sortir l'opaca tomba e il fato estremo [6],
Non la pietà, non la diritta impose 10
Legge del cielo. E se di vostro antico
Error [7] che l'uman seme alla tiranna
Possa de' morbi e di sciagura offerse,
Grido antico ragiona, altre più dire
Colpe de' figli [8], e irrequieto ingegno, 15
E demenza maggior l'offeso Olimpo
N'armaro incontra, e la negletta mano
Dell'altrice natura [9], onde la viva

1. Endecasillabi sciolti. Composto a Recanati nel luglio 1822.
2. Costruisci: il canto dei figli infelici ricorderà le vostre lodi, padri gloriosi dell'umanità.
3. Intendi: molto più cari a Dio, e assai meno degni di pianto.
4. Dati alla luce vitale (*alma*) del giorno.
5. Dolori immedicabili: oggetto di *impose* del v. 10, è spiegato dai due infiniti *nascere* e *sortir* (avere in sorte).
6. La morte. *Diritta*: giusta. Il verbo concorda al singolare con i due soggetti *pietà* e *legge*.
7. Il peccato di Adamo; dipende da *ragiona* (racconta). *Grido*: fama: il racconto biblico.
8. Costruisci: più empie le colpe dei figli, e la natura insaziabile degli uomini e la loro follia ancor più grave (che non quella di Adamo) armarono contro di noi ecc.
9. Ancora soggetto di *armaro*: e il fatto di trascurare la mano della natura datrice di vita, per cui ci dispiacque l'esistenza. *Viva*: della vita.

Fiamma n'increbbe, e detestato il parto
Fu del grembo materno, e violento 20
Emerse il disperato Erebo in terra [10].

Tu primo [11] il giorno, e le purpuree faci
Delle rotanti sfere [12], e la novella
Prole de' campi, o duce antico e padre
Dell'umana famiglia, e tu l'errante 25
Per li giovani prati aura contempli:
Quando le rupi e le deserte valli
Precipite [13] l'alpina onda feria
D'inudito fragor; quando gli ameni
Futuri seggi [14] di lodate genti 30
E di cittadi romorose, ignota
Pace regnava; e gl'inarati colli
Solo e muto ascendea l'aprico [15] raggio
Di febo e l'aurea luna. Oh fortunata,
Di colpe ignara e di lugubri eventi, 35
Erma [16] terrena sede! Oh quanto affanno
Al gener tuo, padre infelice, e quale
D'amarissimi casi ordine immenso [17]
Preparano i destini! Ecco di sangue
Gli avari [18] colti e di fraterno scempio 40
Furor novello incesta, e le nefande
Ali di morte il divo etere impara [19].
Trepido, errante il fratricida, e l'ombre
Solitarie fuggendo e la secreta
Nelle profonde selve ira de' venti, 45
Primo i civili tetti, albergo e regno

10. E l'inferno irruppe con la sua violenza sulla terra.
11. Tu per primo: Adamo, soggetto di *contempli* del v. 26.
12. La luce splendente delle stelle (*sfere*), e le piante (*prole de' campi*) appena create (*novella*: come più sotto *giovani*). *Duce*: capostipite.
13. Scendendo a precipizio, le acque montane ferivano con fragore non ascoltato da alcuno.
14. Sedi; oggetto di *regnava* (usato transitivamente: "dominava").
15. Splendente; *febo*: sole. Il verbo concorda al singolare con i due soggetti.
16. Deserta, inabitata.
17. Serie infinita di sventure.
18. « Fatti avari dopo il peccato originale » (L.): dopo, cioè, la maledizione divina con cui Adamo è scacciato dall'Eden. *Colti*: campi coltivati, oggetto di *incesta* (contamina).
19. A conoscere. Per la prima volta Caino, uccidendo il fratello Abele, rende il cielo testimone di morte.

Alle macere cure, innalza [20]; e primo
Il disperato pentimento i ciechi
Mortali egro [21], anelante, aduna e stringe
Ne' consorti ricetti: onde negata 50
L'improba mano al curvo aratro, e vili
Fur gli agresti sudori [22]; ozio le soglie
Scellerate occupò; ne' corpi inerti
Domo [23] il vigor natio, languide, ignave
Giacquer le menti; e servitù le imbelli 55
Umane vite, ultimo danno, accolse.

E tu [24] dall'etra infesto e dal mugghiante
Su i nubiferi gioghi equoreo flutto
Scampi l'iniquo germe, o tu cui prima [25]
Dall'aer cieco e da' natanti poggi 60
Segno arrecò d'instaurata spene
La candida colomba, e delle antiche
Nubi l'occiduo [26] Sol naufrago uscendo
L'atro polo di vaga iri dipinse [27].
Riede alla terra, e il crudo affetto e gli empi 65
Studi rinnova e le seguaci ambasce
La riparata gente [28]. Agl'inaccessi
Regni del mar vendicatore illude
Profana destra [29], e la sciagura e il pianto
A novi liti e nove stelle insegna. 70

20. Per primo fonda la città, dove han sede e regnano gli affanni tormentosi (*macere*: che macerano, consumano). Il rimorso dunque, come dice nei vv. seguenti, inducendo a fuggire la solitudine, è origine della vita in società.
21. Come *anelante*, da riferire a *pentimento*: malato, che rende malati.
22. E perciò la mano dei malvagi (*improba*) si rifiutò di usare l'aratro, e la fatica dei campi fu disprezzata.
23. Fu domato, si spense. *Menti*: lat., animi.
24. Noè; costruisci: tu salvi l'empia stirpe degli uomini dall'ostilità del cielo (*etra infesto*) e dalle onde del mare (*equoreo flutto*) che sommergono tempestose le montagne cinte di nubi (*nubiferi*).
25. Per prima; da collegare a *colomba* del v. 62; *instaurata*: lat., rinnovata.
26. Lat., al tramonto.
27. Dipinse il tetro cielo con l'iride multicolore.
28. Il ricreato genere umano: soggetto di *riede* (ritorna) e di *rinnova. Studi* lat., occupazioni.
29. La mano sacrilega dei navigatori sfida (*illude*: si prende gioco) i regni del mare, che sarebbero dovuti rimanere inaccessibili. *Vendicatore*: che pure aveva mostrato, con il diluvio, di poter esercitare vendetta tremenda.

Or te [30], padre de' pii, te giusto e forte,
E di tuo seme i generosi alunni
Medita il petto mio. Dirò siccome
Sedente, oscuro, [31] in sul meriggio all'ombre
Del riposato albergo, appo le molli 75
Rive del gregge tuo nutrici e sedi,
Te [32] de' celesti peregrini occulte
Beàr l'eteree menti; e quale, o figlio
Della saggia Rebecca [33], in su la sera,
Presso al rustico pozzo e nella dolce 80
Di pastori e di lieti ozi frequente
Aranitica valle [34], amor ti punse
Della vezzosa Labanide: invitto
Amor, ch'a lunghi esigli e lunghi affanni
E di servaggio all'odiata soma 85
Volenteroso il prode animo addisse [35].

Fu certo, fu (né d'error vano e d'ombra
L'aonio canto [36] e della fama il grido
Pasce l'avida plebe) amica un tempo
Al sangue nostro [37] e dilettosa e cara 90
Questa misera piaggia, ed aurea corse
Nostra caduca età [38]. Non che di latte
Onda rigasse intemerata il fianco
Delle balze materne [39], o con le greggi
Mista la tigre ai consueti ovili 95
Né guidasse per gioco i lupi al fonte

30. Abramo; come *alunni* (lat., i nati dalla tua stirpe) è oggetto di *medita* (sottintendi: "di cantare").
31. Da unire ad *all'ombre*. *Appo*: lat., presso.
32. Oggetto di *beàr*. Intendi: gli spiriti angelici, nascosti (e per questo dice *occulte*) sotto le spoglie di tre pellegrini, ti resero felice annunciandoti la prossima nascita di un figlio.
33. Giacobbe. *Quale* va unito ad *amor* del v. 82.
34. Nella dolce valle di Haran popolata (*frequente*) di pastori e allietata di feste (*ozi*). *Labanide*: Rachele, figlia di Làbano.
35. Assoggettò. Giacobbe, per ottenere Rachele, dovette stare per quattordici anni al servizio di Làbano.
36. La poesia: nell'Aonia era l'Elicona, il monte sacro alle Muse. *Pasce* concorda al singolare con i due soggetti del v. 88. *Avida*: di favole.
37. Al genere umano; *piaggia*: la terra, in generale.
38. La nostra fragile vita trascorse beata: è implicita un'allusione al mito dell'età dell'oro.
39. Non già che, come afferma il mito, scorressero dalle rocce onde incontaminate di latte ecc.

Il pastorel; ma di suo fato ignara
E degli affanni suoi, vota d'affanno
Visse l'umana stirpe; alle secrete
Leggi del cielo e di natura indutto [40] 100
Valse l'ameno error, le fraudi, il molle
Pristino velo [41], e di sperar contenta
Nostra placida nave in porto ascese.

Tal [42] fra le vaste californie selve
Nasce beata prole, a cui non sugge 105
Pallida [43] cura il petto, a cui le membra
Fera tabe non doma; e vitto il bosco,
Nidi l'intima rupe, onde ministra [44]
L'irrigua valle, inopinato il giorno
Dell'atra morte incombe [45]. Oh contra il nostro 110
Scellerato ardimento inermi regni
Della saggia natura [46]! I lidi e gli antri
E le quiete selve apre l'invitto
Nostro furor; le violate genti
Al peregrino affanno, agl'ignorati 115
Desiri educa [47]; e la fugace, ignuda
Felicità per l'imo sole incalza [48].

40. Steso sopra a coprire le leggi divine e naturali; come *valse* (ebbe potere, regnò) concorda al singolare con *error, fraudi* e *velo*.
41. Il velo antico dell'illusione. *In porto*: al porto della morte.
42. Simile a quella antica.
43. Con valore causativo: i tormenti che fanno impallidire. *Fera tabe*: lat., crudeli malattie.
44. Offre; ha come soggetti *bosco, rupe, valle*.
45. Inatteso sopraggiunge il giorno della funesta morte.
46. Allude alla penetrazione europea nel nuovo mondo.
47. Insegna (soggetto è *furor*) alle genti oltraggiate dolori sconosciuti e ansie ignote.
48. E insegue la felicità, fuggente e inerme, fino all'estremo occidente (*imo sole*).

IX

ULTIMO CANTO DI SAFFO [1]

Placida notte, e verecondo raggio
Della cadente luna! e tu che spunti
Fra la tacita selva in su la rupe,
Nunzio del giorno [2]; oh dilettose e care [3]
Mentre ignote mi fur l'erinni e il fato, 5
Sembianze agli occhi miei; già non arride
Spettacol molle ai disperati affetti [4].
Noi l'insueto allor gaudio ravviva
Quando per l'etra liquido [5] si volve
E per li campi trepidanti il flutto 10
Polveroso de' Noti [6], e quando il carro,
Grave carro di Giove [7] a noi sul capo,
Tonando, il tenebroso aere divide.
Noi [8] per le balze e le profonde valli
Natar giova tra' nembi, e noi [9] la vasta 15
Fuga de' greggi sbigottiti, o d'alto
Fiume alla dubbia sponda [10]

1. Canzone, composta a Recanati nel maggio 1822; « intende di rappresentare la infelicità di un animo delicato, tenero, sensitivo, nobile e caldo, posto in un corpo brutto e giovane » (L.), introducendo a parlare in prima persona la poetessa prima del suicidio.
2. Lucifero, il pianeta Venere.
3. Costruisci: o immagini (*sembianze*) a me care fino a quando (*mentre*) mi furono ignoti i tormenti dell'amore (*erinni*: per traslato, dal nome delle divinità mitologiche) e l'infelicità della mia sorte.
4. Sentimenti; intendi: a chi soffra di disperazione. *Noi*: me (oggetto di *ravviva*); il plurale per il singolare continua per l'intera canzone.
5. Lat., aria limpida (o, meglio, fluida, che non offre resistenza).
6. Venti, in generale.
7. Il tuono, originato dal carro di Giove.
8. Va unito a *natar giova*: a noi piace immergerci ecc.
9. Sottintendi: giova contemplare.
10. Presso la sponda malsicura (*dubbia*) di un fiume in piena (*alto*: lat., profondo).

Il suono e la vittrice ira dell'onda.

Bello il tuo manto, o divo cielo, e bella
Sei tu, rorida [11] terra. Ahi di cotesta — 20
Infinita beltà parte nessuna
Alla misera Saffo i numi e l'empia
Sorte non fenno [12]. A' tuoi superbi regni
Vile, o natura, e grave ospite addetta [13],
E dispregiata amante, alle vezzose — 25
Tue forme il core e le pupille invano
Supplichevole intendo. A me non ride
L'aprico margo [14], e dall'eterea porta
Il mattutino albor; me non il canto
De' colorati augelli, e non de' faggi — 30
Il murmure saluta: e dove all'ombra
Degl'inchinati salici dispiega
Candido rivo il puro seno, al mio
Lubrico [15] piè le flessuose linfe
Disdegnando sottragge, — 35
E preme in fuga l'odorate spiagge.

Qual fallo mai, qual sì nefando eccesso
Macchiommi anzi il natale [16], onde sì torvo
Il ciel mi fosse e di fortuna il volto?
In che peccai bambina, allor che ignara — 40
Di misfatto è la vita, onde poi scemo [17]
Di giovanezza, e disfiorato, al fuso
Dell'indomita Parca si volvesse
Il ferrigno mio stame? Incaute voci
Spande il tuo labbro [18]: i destinati eventi — 45
Move arcano consiglio. Arcano è tutto,
Fuor che il nostro dolor. Negletta prole

11. Rugiadosa.
12. Fecero.
13. Assegnata dalla sorte al creato dove tu regni superba, come un'ospite disprezzata e molesta, e il cui amore è respinto.
14. Margine, riva; ma qui significa luogo in generale, illuminato dal sole (*aprico*). *Eterea porta*: la porta del cielo, ad oriente.
15. Malfermo. *Sottragge*: ha come soggetto *candido rivo*.
16. Prima della nascita; *sì nefando... onde*: tanto nefando... che.
17. Privo; da unire a *stame* del v. 44. Lachesi era la Parca che avvolgeva intorno al fuso il filo della vita, detto *ferrigno* perché quello di Saffo è grigio, fosco.
18. Le tue labbra pronunciano parole folli: Saffo si rivolge a se stessa.

Nascemmo al pianto, e la ragione in grembo
De' celesti si posa. Oh cure, oh speme
De' più verd'anni! Alle sembianze il Padre [19], 50
Alle amene sembianze eterno regno
Diè nelle [20] genti; e per virili imprese,
Per dotta lira o canto,
Virtù non luce in disadorno ammanto [21].

Morremo. Il velo indegno [22] a terra sparto, 55
Rifuggirà l'ignudo animo a Dite,
E il crudo fallo emenderà del cieco
Dispensator de' casi [23]. E tu cui lungo
Amore indarno, e lunga fede, e vano
D'implacato desio furor mi strinse, 60
Vivi felice, se felice in terra
Visse nato mortal. Me non asperse [24]
Del soave licor del doglio avaro
Giove, poi che perìr [25] gl'inganni e il sogno
Della mia fanciullezza. Ogni più lieto 65
Giorno di nostra età primo s'invola [26].
Sottentra il morbo, e la vecchiezza, e l'ombra
Della gelida morte. Ecco di tante
Sperate palme e dilettosi errori,
Il Tartaro [27] m'avanza; e il prode ingegno 70
Han la tenaria Diva [28],
E l'atra notte, e la silente riva.

19. Giove; *amene sembianze*: la bellezza del corpo.
20. Sulle; *per*: ha valore concessivo: per quanto si compiano ecc.
21. In un corpo deforme.
22. Il corpo, indegno del mio animo (ma anche della bellezza della natura). *Dite*: il regno dei morti.
23. Correggerà l'errore commesso dal fato. *E tu*: si rivolge a Faone, al quale Saffo sarebbe stata legata da amore non corrisposto.
24. Intendi: Giove non versò su di me dal vaso (*doglio*) della felicità il suo liquido soave. *Avaro*: perché raramente egli vi attinge.
25. Da quando perirono.
26. Per primo si dilegua.
27. La morte; *prode ingegno*: il mio nobile spirito.
28. Proserpina; detta *tenaria* perché l'Inferno, di cui era regina, aveva il suo ingresso presso il capo Tenaro.

X

IL PRIMO AMORE[1]

Tornami a mente il dì che la battaglia
D'amor sentii la prima volta, e dissi:
Oimè, se quest'è amor, com'ei travaglia!

Che gli occhi al suol tuttora[2] intenti e fissi,
Io mirava colei ch'a questo core 5
Primiera il varco ed innocente aprissi[3].

Ahi come mal mi governasti, amore!
Perché seco dovea sì dolce affetto
Recar tanto desio, tanto dolore?

E non sereno, e non intero e schietto, 10
Anzi pien di travaglio e di lamento
Al cor mi discendea tanto diletto?

Dimmi, tenero core, or che spavento,
Che angoscia era la tua fra quel pensiero
Presso al qual[4] t'era noia ogni contento? 15

Quel pensier che nel dì[5], che lusinghiero
Ti si offeriva nella notte, quando
Tutto queto parea nell'emisfero:

Tu inquieto, e felice e miserando,

1. Terzine di endecasillabi a rime incatenate. Composto a Recanati presumibilmente nel dicembre 1817. È la prima delle due elegie ispirate dall'amore per Gertrude Cassi.
2. Sempre.
3. Si aprì il varco per prima e inconsapevolmente.
4. In mezzo al pensiero fisso di lei, a confronto del quale ogni altra gioia era fastidio (*noia*, nel significato intenso originario).
5. Sottintendi, dal verso seguente, *ti si offeriva*, "si presentava alla mente".

M'affaticavi in su le piume il fianco [6], 20
Ad ogni or fortemente palpitando.

E dove io tristo ed affannato e stanco
Gli occhi al sonno chiudea, come per febre
Rotto e deliro il sonno venia manco [7].

Oh come viva in mezzo alle tenebre 25
Sorgea la dolce imago, e gli occhi chiusi
La contemplavan sotto alle palpebre!

Oh come soavissimi diffusi
Moti per l'ossa mi serpeano [8], oh come
Mille nell'alma instabili, confusi 30

Pensieri si volgean! qual [9] tra le chiome
D'antica selva zefiro scorrendo,
Un lungo, incerto mormorar ne prome.

E mentre io taccio, e mentre io non contendo [10],
Che dicevi o mio cor, che si partia 35
Quella per che [11] penando ivi e battendo?

Il cuocer non più tosto io mi sentia
Della vampa d'amor [12], che il venticello
Che l'aleggiava, volossene via.

Senza sonno io giacea sul dì novello [13], 40
E i destrier che dovean farmi deserto,
Battean la zampa sotto al patrio ostello [14].

Ed io timido e cheto ed inesperto,
Ver lo balcone al buio protendea
L'orecchio avido e l'occhio indarno aperto, 45

La voce ad ascoltar, se ne dovea

6. Il petto (*piume* è termine aulico per "letto"). *Ad ogni or*: di continuo.
7. Veniva meno, come interrotto e delirante per febbre.
8. Serpeggiavano, scorrevano.
9. Come; *ne prome*: ne trae fuori.
10. Lat., non contrastavo alla sua partenza.
11. Per cui; *ivi*: andavi.
12. Costruisci: appena (*non più tosto*) mi sentii dentro la fiamma bruciante dell'amore, ecco che il vento che l'alimentava (la donna amata se ne volò via.
13. All'alba; *farmi deserto*: privarmi di lei, portandola via.
14. La casa paterna.

Di quelle labbra uscir, ch'ultima fosse;
La voce, ch'altro [15] il cielo, ahi, mi togliea.

Quante volte plebea [16] voce percosse
Il dubitoso orecchio, e un gel mi prese, 50
E il core in forse a palpitar si mosse!

E poi che finalmente mi discese
La cara voce al core, e de' cavai [17]
E delle rote il romorio s'intese;

Orbo [18] rimaso allor, mi rannicchiai 55
Palpitando nel letto e, chiusi gli occhi,
Strinsi il cor con la mano, e sospirai.

Poscia traendo i tremuli ginocchi
Stupidamente [19] per la muta stanza,
Ch'altro sarà, dicea, che il cor mi tocchi? 60

Amarissima allor la ricordanza
Locommisi nel petto, e mi serrava
Ad ogni voce il core, a ogni sembianza.

E lunga doglia il sen mi ricercava [20],
Com'è quando a distesa Olimpo piove 65
Malinconicamente e i campi lava.

Ned io ti conoscea, garzon di nove
E nove Soli [21], in questo a pianger nato
Quando facevi, amor, le prime prove;

Quando in ispregio ogni piacer, né grato 70
M'era degli astri il riso, o dell'aurora
Queta il silenzio, o il verdeggiar del prato.

Anche di gloria amor taceami allora
Nel petto, cui [22] scaldar tanto solea,
Che di beltade amor vi fea dimora. 75

15. Ben altro: la presenza viva, cioè, della donna.
16. Dei servi; volgare (*plebea*) in confronto a quella, aspettata, della donna.
17. Cavalli.
18. Privo di lei, come della sua luce; *rimaso*: rimasto.
19. In preda allo smarrimento (lat.).
20. Invadeva, penetrava.
21. Giovinetto di diciotto anni. *In questo... nato*: intendi, su di me. Quando facevi le prime prove su di me, nato ecc.
22. Che, oggetto di *scaldar*. *Che di beltade amor*: da unire ad *allora*

Né gli occhi ai noti studi io rivolgea,
E quelli m'apparian vani per cui
Vano ogni altro desir creduto avea.

Deh come mai da me sì vario [23] fui,
E tanto amor mi tolse un altro amore? 80
Deh, quanto, in verità, vani siam nui!

Solo il mio cor piaceami, e col mio core
In un perenne ragionar sepolto,
Alla guardia seder del mio dolore.

E l'occhio a terra chino o in se raccolto, 85
Di riscontrarsi fuggitivo e vago [24]
Né in leggiadro soffria né in turpe volto:

Che la illibata, la candida imago
Turbare egli temea pinta nel seno,
Come all'aure si turba onda di lago. 90

E quel di non aver goduto appieno
Pentimento [25], che l'anima ci grava,
E il piacer che passò cangia in veleno,

Per li fuggiti dì mi stimolava
Tuttora il sen: che [26] la vergogna il duro 95
Suo morso in questo cor già non oprava.

Al cielo, a voi, gentili anime, io giuro
Che voglia non m'entrò bassa nel petto,
Ch'arsi di foco intaminato [27] e puro.

Vive quel foco ancor, vive l'affetto, 100
Spira [28] nel pensier mio la bella imago,
Da cui, se non celeste, altro diletto

Giammai non ebbi, e sol di lei m'appago.

del v. 73, con valore causale: poiché l'amore della bellezza di una donna ecc.

23. Diverso, mutato. *Tanto*: così grande, quale portavo agli studi.
24. Aggettivi con valore avverbiale: sia pure in modo fugace e casuale.
25. Costruisci: e quel pentimento (...) mi tormentava di continuo (*tuttora*) ecc.
26. Poiché. C'era solo rimpianto, ma nessun motivo di vergogna: e lo spiega nella terzina seguente.
27. Incontaminato.
28. Respira.

XI

IL PASSERO SOLITARIO [1]

D'in su la vetta della torre antica,
Passero solitario, alla campagna
Cantando vai finché non more il giorno;
Ed erra l'armonia per questa valle.
Primavera dintorno 5
Brilla nell'aria, e per li campi esulta,
Sì ch'a mirarla intenerisce [2] il core.
Odi greggi belar, muggire armenti;
Gli altri augelli contenti, a gara insieme
Per lo libero ciel fan mille giri, 10
Pur festeggiando [3] il lor tempo migliore:
Tu pensoso in disparte il tutto miri;
Non compagni, non voli,
Non ti cal d'allegria, schivi gli spassi;
Canti, e così trapassi 15
Dell'anno e di tua vita il più bel fiore.

Oimè, quanto somiglia
Al tuo costume il mio! Sollazzo e riso [4],
Della novella età dolce famiglia,

1. Strofe libere di endecasillabi e settenari. Data malsicura: il metro (la cosiddetta canzone leopardiana, svincolata ormai interamente dal modello classico che prevede una rigorosa uniformità fra le stanze) induce a supporre una redazione tarda, più o meno contemporanea ai canti del '28-'30 o anche successiva (comunque avanti il '35).
2. Si intenerisce; *core* è soggetto.
3. *Pur* indica continuità e esclusività dell'azione: intenti solo e senza posa a festeggiare.
4. Come *te* del v. 20, oggetto di *non curo*. *Famiglia* è apposizione: dolci compagni della giovinezza. *Sollazzo* è termine dell'antica lingua poetica: diletto, svago.

E te german di giovinezza, amore [5], 20
Sospiro acerbo de' provetti giorni,
Non curo, io non so come; anzi da loro
Quasi fuggo lontano;
Quasi romito, e strano [6]
Al mio loco natio, 25
Passo del viver mio la primavera.
Questo giorno ch'omai cede alla sera,
Festeggiar si costuma al nostro borgo.
Odi per lo sereno un suon di squilla,
Odi spesso un tonar di ferree canne [7], 30
Che rimbomba lontan di villa in villa.
Tutta vestita a festa
La gioventù del loco
Lascia le case, e per le vie si spande;
E mira ed è mirata, e in cor s'allegra. 35
Io solitario in questa
Rimota parte alla campagna uscendo,
Ogni diletto e gioco [8]
Indugio in altro tempo: e intanto il guardo
Steso nell'aria aprica [9] 40
Mi fere il Sol che tra lontani monti,
Dopo il giorno sereno,
Cadendo si dilegua, e par che dica
Che la beata gioventù vien meno.

Tu, solingo augellin, venuto a sera 45
Del viver che daranno a te le stelle,
Certo del tuo costume
Non ti dorrai; che di natura è frutto
Ogni vostra vaghezza [10].
A me, se di vecchiezza 50
La detestata soglia
Evitar non impetro [11],
Quando muti questi occhi all'altrui core,

5. Costruisci: e te, amore, fratello (*german*) di giovinezza, oggetto di rimpianto doloroso nell'età avanzata (*provetti giorni*).
6. Straniero.
7. Colpi di fucile, sparati in segno di festa. *Villa*: lat. borgo.
8. Ancora dall'antica lingua poetica: gioia. *Indugio*: rinvio.
9. Luminosa, splendente; *fere*: ferisce (lo sguardo).
10. Poiché ogni vostro desiderio è determinato dalla natura.
11. Se non ottengo di morire prima della vecchiaia, quando i miei occhi saranno muti al cuore altrui, e vuoto il mondo per loro.

E lor fia voto il mondo, e il dì futuro
Del dì presente più noioso e tetro, 55
Che parrà di tal voglia[12]?
Che di quest'anni miei? che di me stesso?
Ahi pentirommi, e spesso,
Ma sconsolato, volgerommi indietro.

12. Di questa mia inclinazione alla solitudine.

XII

L'INFINITO [1]

Sempre caro mi fu quest'ermo colle [2],
E questa siepe, che da tanta parte
Dell'ultimo [3] orizzonte il guardo esclude.
Ma sedendo e mirando, interminati
Spazi di là da quella, e sovrumani 5
Silenzi, e profondissima quiete
Io nel pensier mi fingo [4]; ove per poco
Il cor non si spaura. E come il vento
Odo stormir tra queste piante, io quello
Infinito silenzio a questa voce 10
Vo comparando: e mi sovvien l'eterno,
E le morte stagioni [5], e la presente
E viva, e il suon di lei. Così tra questa
Immensità s'annega il pensier mio:
E il naufragar m'è dolce in questo mare. 15

1. Idillio, in endecasillabi sciolti. Composto a Recanati nel 1819.
2. Il monte Tabor, un'altura nei pressi del palazzo Leopardi a Recanati. *Ermo*: solitario.
3. Lat., estremo.
4. Lat., do forma nella mente, immagino.
5. Età.

XIII

LA SERA DEL DÌ DI FESTA [1]

Dolce e chiara è la notte e senza vento,
E queta sovra i tetti e in mezzo agli orti
Posa la luna, e di lontan rivela
Serena ogni montagna. O donna mia [2],
Già tace ogni sentiero, e pei balconi 5
Rara traluce la notturna lampa [3]:
Tu dormi, che t'accolse agevol sonno
Nelle tue chete stanze; e non ti morde
Cura nessuna; e già non sai né pensi
Quanta piaga m'apristi in mezzo al petto. 10
Tu dormi: io questo ciel, che sì benigno
Appare in vista [4], a salutar m'affaccio,
E l'antica natura onnipossente,
Che mi fece all'affanno. A te la speme
Nego, mi disse, anche la speme; e d'altro 15
Non brillin gli occhi tuoi se non di pianto.
Questo dì fu solenne [5]; or da' trastulli
Prendi riposo; e forse ti rimembra
In sogno a quanti oggi piacesti, e quanti
Piacquero a te: non io, non già ch'io speri, 20
Al pensier ti ricorro. Intanto io chieggo
Quanto a viver mi resti, e qui per terra
Mi getto, e grido, e fremo. Oh giorni orrendi

1. Idillio, in endecasillabi sciolti. Composto a Recanati fra il 1819 e il 1821, con ogni probabilità nella primavera del 1820.
2. In questo, più ancora che in altri casi, risulta vano ogni tentativo di identificazione.
3. Poche sono le finestre illuminate.
4. Alla vista, in apparenza benigno.
5. Lat.: giorno di festa. *Ti rimembra*: nota la costruzione impersonale del verbo.

In così verde etate! Ahi, per la via
Odo non lunge il solitario canto 25
Dell'artigian, che riede a tarda notte,
Dopo i sollazzi [6], al suo povero ostello;
E fieramente mi si stringe il core,
A pensar come tutto al mondo passa,
E quasi orma non lascia. Ecco è fuggito 30
Il dì festivo, ed al festivo il giorno
Volgar [7] succede, e se ne porta il tempo
Ogni umano accidente. Or dov'è il suono
Di que' [8] popoli antichi? or dov'è il grido
De' nostri avi famosi, e il grande impero 35
Di quella Roma, e l'armi, e il fragorio
Che n'andò [9] per la terra e l'oceano?
Tutto è pace e silenzio, e tutto posa
Il mondo, e più di lor non si ragiona.
Nella mia prima età, quando s'aspetta 40
Bramosamente il dì festivo, or poscia
Ch'egli era spento, io doloroso, in veglia,
Premea le piume [10]; ed alla tarda notte
Un canto che s'udia per li sentieri
Lontanando morire a poco a poco, 45
Già similmente mi stringeva il core.

6. Svaghi; come, più sopra, ha detto *trastulli*. *Ostello*: casa; *fieramente*: crudelmente.
7. Ordinario, e quindi mediocre. *Accidente*: evento.
8. Come in latino, nel senso di "quei famosi"; così al v. 36, *quella*. *Il grido*: la fama.
9. Che di lì, da Roma, si diffuse. Leggi *oceàno*.
10. Aulico per "letto".

XIV

ALLA LUNA [1]

O graziosa luna, io mi rammento
Che, or volge l'anno [2], sovra questo colle
Io venia pien d'angoscia a rimirarti:
E tu pendevi allor su quella selva
Siccome or fai, che tutta la rischiari. 5
Ma nebuloso e tremulo dal pianto
Che mi sorgea sul ciglio, alle mie luci [3]
Il tuo volto apparia, che travagliosa
Era mia vita: ed è [4], né cangia stile,
O mia diletta luna. E pur mi giova 10
La ricordanza, e il noverar l'etate [5]
Del mio dolore. Oh come grato occorre
Nel tempo giovanil, quando ancor lungo
La speme e breve ha la memoria il corso [6],
Il rimembrar delle passate cose, 15
Ancor che triste, e che l'affanno duri!

1. Idillio, in endecasillabi sciolti. Composto a Recanati nel 1819.
2. Si compie l'anno; un anno fa.
3. Occhi.
4. Sottintendi: *travagliosa*. *Stile*: modo.
5. Il tempo, la durata.
6. Questi due versi 13-14 furono aggiunti dopo l'edizione napoletana del '35. Costruisci: quando la speranza ha davanti a sé lungo spazio, e la memoria breve dietro di sé.
7. E plurale (« tristi »), riferito a *cose*.

XV

IL SOGNO [1]

Era il mattino, e tra le chiuse imposte
Per lo balcone insinuava il sole
Nella mia cieca stanza il primo albore;
Quando in sul tempo che [2] più leve il sonno
E più soave le pupille adombra, 5
Stettemi allato e riguardommi in viso
Il simulacro [3] di colei che amore
Prima insegnommi, e poi lasciommi in pianto.
Morta non mi parea, ma trista, e quale
Degl'infelici è la sembianza. Al capo 10
Appressommi la destra, e sospirando,
Vivi, mi disse, e ricordanza alcuna
Serbi di noi [4]? Donde, risposi, e come
Vieni, o cara beltà? Quanto, deh quanto
Di te mi dolse e duol: né mi credea 15
Che risaper tu lo dovessi; e questo
Facea più sconsolato il dolor mio.
Ma sei tu per lasciarmi un'altra volta?
Io n'ho gran tema. Or dimmi, e che t'avvenne?
Sei tu quella di prima? E che ti strugge 20
Internamente? Obblivione ingombra [5]
I tuoi pensieri, e gli avviluppa il sonno,

1. Idillio, in endecasillabi sciolti. Composto a Recanati verso la fine del 1820 o nel 1821.
2. Costruisci: nel momento in cui il sonno più lievemente e soavemente copre d'ombra le pupille.
3. L'ombra, l'immagine. *Colei*: con ogni probabilità Teresa Fattorini, la stessa fanciulla (morta di mal sottile nel 1818) identificata generalmente con la Silvia del canto XXI.
4. Di noi due, del tempo trascorso insieme. Ovvero, "di me", con il plurale per il singolare.
5. L'oblio confonde; *gli*: li.

Disse colei. Son morta, e mi vedesti
L'ultima volta, or son più lune [6]. Immensa
Doglia m'oppresse a queste voci il petto. 25
Ella seguì: nel fior degli anni estinta,
Quand'è il viver più dolce, e pria che il core
Certo si renda [7] com'è tutta indarno
L'umana speme. A desiar colei
Che d'ogni affanno il tragge, ha poco andare [8] 30
L'egro mortal; ma sconsolata arriva
La morte ai giovanetti, e duro è il fato
Di quella speme che sotterra è spenta.
Vano è saper quel che natura asconde [9]
Agl'inesperti della vita, e molto 35
All'immatura sapienza il cieco
Dolor prevale. Oh sfortunata, oh cara,
Taci, taci, diss'io, che tu mi schianti
Con questi detti il cor. Dunque sei morta,
O mia diletta, ed io son vivo, ed era 40
Pur fisso in ciel che quei sudori estremi [10]
Cotesta cara e tenerella salma
Provar dovesse, a me restasse intera
Questa misera spoglia? Oh quante volte
In ripensar che più non vivi, e mai 45
Non avverrà ch'io ti ritrovi al mondo
Creder nol posso. Ahi ahi, che cosa è [11] questa
Che morte s'addimanda? Oggi per prova
Intenderlo potessi, e il capo inerme
Agli atroci del fato odii sottrarre. 50
Giovane son, ma si consuma e perde
La giovanezza mia come vecchiezza;
La qual pavento, e pur m'è lunge assai.
Ma poco da vecchiezza si discorda
Il fior dell'età mia. Nascemmo al pianto, 55

6. Mesi.
7. Si persuada come la speranza sia del tutto vana.
8. Non ha molto da attendere prima di trovarsi a desiderare la morte. *Egro*: misero, infelice.
9. La verità, celata dalle illusioni naturali. Non serve ai giovani sapere che in generale ogni speranza è vana: questa conoscenza, puramente intellettuale e non esperita personalmente (*immatura*), non offre consolazione al dolore.
10. Della morte. *Salma*: come al v. 92, sta per "corpo".
11. Intendi: al confronto della mia vita dolorosa. *S'addimanda*: vien chiamata.

Disse, ambedue; felicità non rise
Al viver nostro; e dilettossi il cielo
De' nostri affanni. Or se di pianto il ciglio,
Soggiunsi, e di pallor velato il viso
Per la tua dipartita [12], e se d'angoscia 60
Porto gravido il cor; dimmi: d'amore
Favilla alcuna, o di pietà, giammai
Verso il misero amante il cor t'assalse
Mentre vivesti? Io disperando allora
E sperando traea le notti e i giorni; 65
Oggi nel vano dubitar si stanca
La mente mia. Che se una volta sola
Dolor ti strinse di mia negra [13] vita,
Non mel celar, ti prego, e mi soccorra
La rimembranza or che il futuro è tolto 70
Ai nostri giorni. E quella: ti conforta,
O sventurato. Io di pietade avara
Non ti fui mentre vissi, ed or non sono,
Che fui misera anch'io. Non far querela
Di questa infelicissima fanciulla. 75
Per le sventure nostre, e per l'amore
Che mi strugge, esclamai; per lo diletto
Nome di giovanezza e la perduta
Speme dei nostri dì, concedi, o cara,
Che la tua destra io tocchi. Ed ella, in atto 80
Soave e triste, la porgeva. Or mentre
Di baci la ricopro, e d'affannosa
Dolcezza palpitando all'anelante
Seno la stringo, di sudore il volto
Ferveva e il petto, nelle fauci stava [14] 85
La voce, al guardo traballava il giorno.
Quando colei teneramente affissi
Gli occhi negli occhi miei, già scordi, o caro,
Disse, che di beltà son fatta ignuda?
E tu d'amore, o sfortunato, indarno 90
Ti scaldi e fremi. Or finalmente [15] addio.
Nostre misere menti e nostre salme
Son disgiunte in eterno. A me [16] non vivi

12. Morte.
13. Lugubre.
14. Lat.: rimaneva chiusa nella gola. *Il giorno*: la luce.
15. In fine, per sempre. *Menti*: anime: come al v. 67.
16. Per me. *Il fato*: la morte.

E mai più non vivrai: già ruppe il fato
La fe che mi giurasti. Allor d'angoscia 95
Gridar volendo, e spasimando, e pregne
Di sconsolato pianto le pupille,
Dal sonno mi disciolsi. Ella negli occhi
Pur [17] mi restava, e nell'incerto raggio
Del Sol vederla io mi credeva ancora. 100

17. Ancora; continuava a restare.

XVI

LA VITA SOLITARIA[1]

La mattutina pioggia[2], allor che l'ale
Battendo esulta nella chiusa stanza
La gallinella, ed al balcon s'affaccia
L'abitator de' campi, e il Sol che nasce
I suoi tremuli rai fra le cadenti 5
Stille saetta, alla capanna mia
Dolcemente picchiando, mi risveglia;
E sorgo, e i lievi nugoletti, e il primo
Degli augelli sussurro, e l'aura fresca,
E le ridenti piagge[3] benedico: 10
Poiché voi, cittadine infauste mura,
Vidi e conobbi assai[4], là dove segue
Odio al dolor compagno; e doloroso
Io vivo, e tal morrò, deh tosto! Alcuna
Benché scarsa pietà pur mi dimostra 15
Natura in questi lochi, un giorno oh quanto
Verso me più cortese! E tu pur volgi
Dai miseri lo sguardo; e tu, sdegnando
Le sciagure e gli affanni, alla reina
Felicità servi, o natura. In cielo, 20
In terra amico agl'infelici alcuno
E rifugio non resta altro che il ferro[5].

Talor m'assido in solitaria parte,

1. Idillio, in endecasillabi sciolti. Composto a Recanati tra l'estate e l'autunno del 1821.
2. Va unito a *picchiando, mi risveglia* del v. 7. *Mattutina*: le varie strofe tendono a corrispondere successivamente a una diversa parte del giorno. *Esulta*: lat., salta.
3. Luoghi in genere.
4. Nel senso arcaico di "abbastanza"; così al v. 106.
5. Cioè, il suicidio.

Sovra un rialto, al margine d'un lago
Di taciturne piante incoronato. 25
Ivi, quando il meriggio in ciel si volve,
La sua tranquilla imago il Sol dipinge,
Ed erba o foglia non si crolla al vento,
E non onda incresparsi, e non cicala
Strider, né batter penna augello in ramo, 30
Né farfalla ronzar, né voce o moto
Da presso né da lunge odi né vedi.
Tien [6] quelle rive altissima quiete;
Ond'io quasi me stesso e il mondo obblio
Sedendo immoto; e già mi par che sciolte 35
Giaccian le membra mie, né spirto o senso
Più le commova [7], e lor quiete antica
Co' silenzi del loco si confonda.

Amore, amore, assai lungi volasti
Dal petto mio, che fu sì caldo un giorno, 40
Anzi rovente. Con sua fredda mano
Lo strinse la sciaura [8], e in ghiaccio è volto
Nel fior degli anni. Mi sovvien del tempo
Che mi scendesti in seno. Era quel dolce
E irrevocabil tempo, allor che s'apre 45
Al guardo giovanil questa infelice
Scena del mondo, e gli sorride in vista [9]
Di paradiso. Al garzoncello il core
Di vergine speranza e di desio
Balza nel petto; e già s'accinge all'opra 50
Di questa vita come a danza o gioco
Il misero mortal. Ma non sì tosto,
Amor, di te m'accorsi, e [10] il viver mio
Fortuna avea già rotto, ed a questi occhi
Non altro convenia che il pianger sempre. 55
Pur se talvolta per le piagge apriche [11],
Su la tacita aurora o quando al sole
Brillano i tetti e i poggi e le campagne,

6. Domina; *rive*: luoghi, come al v. 105. *Altissima*: profondissima.
7. Lat., agiti. *Antica*: il tempo si dilata, avendone persa la coscienza.
8. Sciagura, sventura.
9. Apparenza.
10. Congiunzione paraipotattica: non mi ero quasi ancora accorto di te, ed ecco che, ecc.
11. Campi illuminati dal sole.

Scontro di vaga donzelletta il viso;
O qualor nella placida quiete 60
D'estiva notte, il vagabondo passo
Di rincontro alle ville soffermando,
L'erma terra contemplo, e di fanciulla
Che all'opre di sua man la notte aggiunge [12]
Odo sonar nelle romite stanze 65
L'arguto canto; a palpitar si move
Questo mio cor di sasso: ahi, ma ritorna
Tosto al ferreo sopor; ch'è fatto estrano
Ogni moto soave al petto mio.

O cara luna, al cui tranquillo raggio 70
Danzan le lepri nelle selve; e duolsi
Alla mattina il cacciator, che trova
L'orme intricate e false, e dai covili
Error vario [13] lo svia; salve, o benigna
Delle notti reina. Infesto scende 75
Il raggio tuo fra macchie e balze o dentro
A deserti edifici, in su l'acciaro
Del pallido ladron ch'a teso orecchio
Il fragor delle rote e de' cavalli
Da lungi osserva o il calpestio de' piedi 80
Su la tacita via; poscia improvviso
Col suon dell'armi e con la rauca voce
E col funereo ceffo il core agghiaccia
Al passegger, cui [14] semivivo e nudo
Lascia in breve tra' sassi. Infesto occorre [15] 85
Per le contrade cittadine il bianco
Tuo lume al drudo vil, che degli alberghi
Va radendo le mura e la secreta
Ombra seguendo, e resta [16], e si spaura
Delle ardenti lucerne e degli aperti 90
Balconi. Infesto alle malvage menti,
A me sempre benigno il tuo cospetto [17]
Sarà per queste piagge, ove non altro
Che lieti colli e spaziosi campi

12. Che aggiunge al lavoro del giorno quello della notte. *Arguto*: armonioso.
13. Il suo vagare qua e là.
14. Che, oggetto di *lascia*. *Nudo*: spogliato delle sue ricchezze.
15. Scende. *Drudo*: adultero; *alberghi*: case.
16. Si arresta.
17. Vista; *piagge*, ancora una volta, per "luoghi".

M'apri alla vista. Ed ancor io soleva, 95
Bench'innocente io fossi, il tuo vezzoso
Raggio accusar [18] negli abitati lochi,
Quand'ei m'offriva al guardo umano, e quando
Scopriva umani aspetti al guardo mio.
Or sempre loderollo, o ch'io ti miri 100
Veleggiar tra le nubi, o che serena
Dominatrice dell'etereo campo [19],
Questa flebil riguardi umana sede.
Me spesso rivedrai solingo e muto
Errar pe' boschi e per le verdi rive, 105
O seder sovra l'erbe, assai contento
Se core e lena a sospirar m'avanza [20].

18. Dolermi della tua luce.
19. Lo spazio celeste, il cielo. *Flebil*: degna di pianto, infelice.
20. In quanto segno di sensibilità ancor viva (in antitesi ai vv. 41-3). *Assai* per "abbastanza".

XVII

CONSALVO [1]

Presso alla fin di sua dimora in terra,
Giacea Consalvo; disdegnoso un tempo
Del suo destino; or già non più, che a mezzo
Il quinto lustro [2], gli pendea sul capo
Il sospirato obblio. Qual da gran tempo, 5
Così giacea nel funeral [3] suo giorno
Dai più diletti amici abbandonato:
Ch'amico in terra al lungo andar nessuno
Resta a colui che della terra è schivo.
Pur gli era al fianco, da pietà condotta 10
A consolare il suo deserto stato,
Quella che sola e sempre eragli a mente,
Per divina beltà famosa Elvira;
Conscia del suo poter, conscia che un guardo
Suo lieto, un detto d'alcun dolce asperso [4], 15
Ben mille volte ripetuto e mille
Nel costante pensier, sostegno e cibo
Esser solea dell'infelice amante:
Benché nulla d'amor parola udita
Avess'ella da lui. Sempre in quell'alma 20
Era del gran desio stato più forte

1. Composto fra il '32 e il '35, cronologicamente appartiene al "ciclo di Aspasia", ispirato dall'amore per Fanny Targioni Tozzetti. È sostanzialmente una novella in versi (endecasillabi sciolti), sul modello romantico.
2. Fra i 22 e i 23 anni; a rendere palese l'ispirazione autobiografica del personaggio, nel manoscritto la lezione era « al mezzo di sua vita » (il L. aveva allora all'incirca trentacinque anni). I nomi di Consalvo e di Elvira hanno peraltro un'origine letteraria, probabilmente desunti dal poema di Gerolamo Graziani, *Il conquisto di Granata*. *Pendea*: lat., incombeva sul suo capo la morte (*obblio*).
3. Della morte; così al v. 45. *Qual*: come.
4. Una parola a cui fosse mescolata una qualche dolcezza.

Un sovrano timor. Così l'avea
Fatto schiavo e fanciullo il troppo amore.

Ma ruppe alfin la morte il nodo antico
Alla sua lingua. Poiché certi i segni 25
Sentendo di quel dì che l'uom discioglie,
Lei, già mossa a partir, presa per mano,
E quella man bianchissima stringendo,
Disse: tu parti, e l'ora omai ti sforza [5].
Elvira, addio. Non ti vedrò, ch'io creda, 30
Un'altra volta. Or dunque addio. Ti rendo
Qual maggior grazia mai delle tue cure
Dar possa il labbro mio. Premio daratti
Chi può, se premio ai pii dal ciel si rende.
Impallidia la bella, e il petto anelo [6] 35
Udendo le si fea: che sempre stringe
All'uomo il cor dogliosamente, ancora
Ch'estranio sia, chi si diparte e dice,
Addio per sempre. E contraddir voleva,
Dissimulando l'appressar del fato [7], 40
Al moribondo. Ma il suo dir prevenne
Quegli, e soggiunse: desiata, e molto,
Come sai, ripregata a me discende,
Non temuta, la morte; e lieto apparmi
Questo feral mio dì. Pesami, è vero, 45
Che te perdo per sempre. Oimè per sempre
Parto da te. Mi si divide il core
In questo dir. Più non vedrò quegli occhi,
Né la tua voce udrò! Dimmi: ma pria
Di lasciarmi in eterno, Elvira, un bacio 50
Non vorrai tu donarmi? un bacio solo
In tutto il viver mio? Grazia ch'ei chiegga
Non si nega a chi muor. Né già vantarmi
Potrò del dono, io semispento, a cui
Straniera man [8] le labbra oggi fra poco 55
Eternamente chiuderà. Ciò detto
Con un sospiro, all'adorata destra
Le fredde labbra supplicando affisse.

5. Ti costringe a partire.
6. Affannoso.
7. Fingendo di non vedere l'avvicinarsi della morte.
8. La mano di un estraneo.

Stette sospesa e pensierosa in atto
La bellissima donna; e fiso il guardo, 60
Di mille vezzi sfavillante, in quello
Tenea dell'infelice, ove l'estrema
Lacrima rilucea. Né dielle il core [9]
Di sprezzar la dimanda, e il mesto addio
Rinacerbir col niego; anzi la vinse 65
Misericordia dei ben noti ardori.
E quel volto celeste, e quella bocca,
Già tanto desiata, e per molt'anni
Argomento di sogno e di sospiro,
Dolcemente appressando al volto afflitto 70
E scolorato dal mortale affanno,
Più baci e più, tutta benigna e in vista
D'alta pietà [10], su le convulse labbra
Del trepido, rapito amante impresse.

Che divenisti allor? quali appariro 75
Vita, morte, sventura agli occhi tuoi,
Fuggitivo Consalvo? Egli la mano,
Ch'ancor tenea, della diletta Elvira
Postasi al cor, che gli ultimi battea
Palpiti della morte e dell'amore, 80
Oh, disse, Elvira, Elvira mia! ben sono
In su la terra ancor; ben quelle labbra
Fur le tue labbra, e la tua mano io stringo!
Ahi vision d'estinto [11], o sogno, o cosa
Incredibil mi par. Deh quanto, Elvira, 85
Quanto debbo alla morte! Ascoso innanzi
Non ti fu l'amor mio per alcun tempo;
Non a te, non altrui; che non si cela
Vero amore alla terra [12]. Assai palese
Agli atti, al volto sbigottito, agli occhi, 90
Ti fu: ma non ai detti. Ancora e sempre
Muto sarebbe l'infinito affetto
Che governa il cor mio, se non l'avesse
Fatto ardito il morir. Morrò contento
Del mio destino omai, né più mi dolgo 95

9. Il cuore non le permise, non le resse il cuore. *Rinacerbir*: rendere più doloroso, con un rifiuto.
10. Mostrando profonda pietà.
11. Celeste, ultraterrena.
12. Sulla terra. *Assai*: abbastanza (così al v. 101).

Ch'aprii le luci al dì. Non vissi indarno,
Poscia che quella bocca alla mia bocca
Premer fu dato. Anzi felice estimo
La sorte mia. Due cose belle ha il mondo:
Amore e morte. All'una il ciel mi guida 100
In sul fior dell'età; nell'altro, assai
Fortunato mi tengo. Ah, se una volta,
Solo una volta il lungo amor quieto
E pago [13] avessi tu, fora la terra
Fatta quindi per sempre un paradiso 105
Ai cangiati occhi miei. Fin la vecchiezza,
L'abborrita vecchiezza, avrei sofferto
Con riposato cor: che a sostentarla
Bastato sempre il rimembrar sarebbe
D'un solo istante, e il dir: felice io fui 110
Sovra tutti i felici. Ahi, ma cotanto
Esser beato non consente il cielo
A natura terrena. Amar tant'oltre
Non è dato con gioia. E ben per patto [14]
In poter del carnefice ai flagelli, 115
Alle ruote, alle faci ito volando
Sarei dalle tue braccia; e ben disceso
Nel paventato sempiterno scempio [15].

O Elvira, Elvira, oh lui felice, oh sovra
Gl'immortali beato, a cui tu schiuda 120
Il sorriso d'amor! felice appresso [16]
Chi per te sparga con la vita il sangue!
Lice, lice al mortal, non è già sogno
Come stimai gran tempo, ahi lice in terra
Provar felicità. Ciò seppi il giorno 125
Che fiso io ti mirai. Ben per mia morte
Questo m'accadde. E non però [17] quel giorno
Con certo cor giammai, fra tante ambasce,
Quel fiero giorno biasimar sostenni.

13. Participi: quietato e appagato. *Fora... fatta*: sarebbe stata mutata in ecc. *Quindi*: da quell'istante.
14. Come condizione per un siffatto amore sarei andato volando ecc.
15. Nello strazio, nei tormenti dell'inferno.
16. Dopo di lui.
17. È vero che ciò (il fatto di amarti) mi è costato la vita; ma non per questo (*però*) io ebbi mai la forza di biasimare quel giorno fatale. *Certo*: persuaso.

Or tu vivi beata, e il mondo abbella, 130
Elvira mia, col tuo sembiante. Alcuno
Non l'amerà quant'io l'amai. Non nasce
Un altrettale amor. Quanto, deh quanto
Dal misero Consalvo in sì gran tempo
Chiamata fosti, e lamentata, e pianta! 135
Come al nome d'Elvira, in cor gelando,
Impallidir; come tremar son uso
All'amaro [18] calcar della tua soglia,
A quella voce angelica, all'aspetto
Di quella fronte, io ch'al morir non tremo! 140
Ma la lena e la vita or vengon meno
Agli accenti d'amor. Passato è il tempo,
Né questo dì rimemorar m'è dato.
Elvira, addio. Con la vital favilla
La tua diletta immagine si parte 145
Dal mio cor finalmente [19]. Addio. Se grave
Non ti fu quest'affetto, al mio feretro
Dimani all'annottar manda un sospiro.

Tacque: né molto andò, che a lui col suono [20]
Mancò lo spirto; e innanzi sera il primo 150
Suo dì felice gli fuggia dal guardo.

18. Causa di amarezza; *aspetto*: vista.
19. Per sempre.
20. Con la voce.

XVIII

ALLA SUA DONNA [1]

Cara beltà che amore
Lunge m'inspiri o nascondendo il viso [2],
Fuor se nel sonno il core
Ombra diva mi scuoti,
O ne' campi ove splenda 5
Più vago il giorno e di natura il riso;
Forse tu l'innocente
Secol [3] beasti che dall'oro ha nome,
Or leve intra la gente
Anima voli? o te la sorte avara 10
Ch'a noi t'asconde, agli avvenir [4] prepara?

Viva mirarti omai
Nulla spene m'avanza;
S'allor non fosse, allor che ignudo e solo
Per novo calle a peregrina stanza [5] 15
Verrà lo spirto mio. Già sul novello

1. Canzone: ma del modello classico resta solo la costanza del numero di versi per tutte le stanze e il distico a rima baciata che le chiude. Composta a Recanati nel settembre 1823. « La donna, cioè l'innamorata, dell'autore, è una di quelle immagini, uno di quei fantasmi di bellezza e virtù celeste e ineffabile, che ci occorrono spesso alla fantasia, nel sonno e nella veglia, quando siamo poco più che fanciulli, e poi qualche rara volta nel sonno, o in una quasi alienazione di mente, quando siamo giovani. Infine è *la donna che non si trova.* » (L.)
2. Costruisci: che mi ispiri amore da lontano (*lunge*) o nascondendo il viso, tranne quando (*fuor se*) appari nel sonno come un'ombra divina, o ancora nei campi ecc.
3. Età; l'età dell'oro. *Or*: e ora, lieve spirito, voli ecc.
4. Ai posteri.
5. Per strada sconosciuta, in una dimora straniera (*peregrina stanza*).

Aprir di mia giornata [6] incerta e bruna,
Te viatrice in questo arido suolo
Io mi pensai. Ma non è cosa in terra
Che ti somigli; e s'anco pari alcuna 20
Ti fosse al volto, agli atti, alla favella,
Saria, così conforme, assai men bella.

Fra cotanto dolore
Quanto all'umana età [7] propose il fato,
Se vera e quale il mio pensier ti pinge, 25
Alcun t'amasse in terra, a lui pur fora
Questo viver beato:
E ben chiaro vegg'io siccome ancora
Seguir loda e virtù qual [8] ne' prim'anni
L'amor tuo mi farebbe. Or non aggiunse 30
Il ciel nullo conforto ai nostri affanni;
E teco la mortal vita saria
Simile a quella che nel cielo india [9].

Per le valli, ove suona
Del faticoso [10] agricoltore il canto, 35
Ed io seggo e mi lagno
Del giovanile error [11] che m'abbandona:
E per li poggi, ov'io rimembro e piagno
I perduti desiri, e la perduta
Speme de' giorni miei; di te pensando, 40
A palpitar mi sveglio. E potess'io,
Nel secol tetro e in questo aer nefando [12],
L'alta specie serbar; che dell'imago,
Poi che del ver m'è tolto, assai m'appago.

Se dell'eterne idee 45
L'una sei tu [13] cui di sensibil forma

6. Nella mia giovinezza, all'inizio della mia vita. *Te viatrice*: oggetto di *pensai*: ho creduto che tu fossi guida e compagna ecc.
7. Vita. *Fora*: sarebbe.
8. Come (*loda*, arcaico per "lode": gloria). *Tuo*: per te.
9. Rende conforme a Dio.
10. Stanco, affaticato.
11. L'illusione, la capacità d'illudersi, propria della giovinezza.
12. Allusione polemica al proprio tempo: potessi, in quest'età di decadenza, conservare la tua immagine (*specie*). *Assai*: abbastanza.
13. Accenna alla teoria platonica delle idee. *L'una... cui*: quella sola, che Dio (*l'eterno senno*) sdegni ecc.

Sdegni l'eterno senno esser vestita,
E fra caduche spoglie
Provar gli affanni di funerea vita;
O s'altra terra ne' superni giri [14] 50
Fra' mondi innumerabili t'accoglie,
E più vaga del Sol prossima stella
T'irraggia, e più benigno etere spiri;
Di qua dove son gli anni infausti e brevi,
Questo d'ignoto amante inno ricevi. 55

14. Nei cieli.

XIX

AL CONTE CARLO PEPOLI [1]

Questo affannoso e travagliato sonno
Che noi vita nomiam, come sopporti,
Pepoli mio? di che speranze il core
Vai sostentando? in che pensieri, in quanto
O gioconde o moleste opre dispensi [2] 5
L'ozio che ti lasciàr gli avi remoti,
Grave retaggio e faticoso? È tutta,
In ogni umano stato, ozio la vita,
Se quell'oprar, quel procurar che a degno
Obbietto non intende, o che all'intento [3] 10
Giunger mai non potria, ben si conviene
Ozioso nomar. La schiera industre [4]
Cui franger glebe o curar piante e greggi
Vede l'alba tranquilla e vede il vespro,
Se oziosa dirai, da che sua vita 15
È per campar la vita [5], e per sé sola
La vita all'uom non ha pregio nessuno,
Dritto e vero dirai. Le notti e i giorni
Tragge in ozio il nocchiero; ozio il perenne
Sudar nelle officine, ozio le vegghie [6] 20

1. Epistola in endecasillabi sciolti, composta dal Leopardi a Bologna nel marzo 1826 in occasione dell'invito avanzatogli dall'Accademia dei Felsinei a una serata di pubbliche letture, e indirizzata al conte Pepoli, vice presidente dell'Accademia.
2. Occupi. *Ozio*: nel senso latino di « vita libera da occupazioni », lasciatagli dagli antenati in eredità (*retaggio*) difficile da amministrare, da riempire di senso.
3. La felicità; ed essendo questa impossibile, ogni attività, che pur tende ad essa, diventa vana, oziosa.
4. Dei contadini e dei pastori; va unito a *se oziosa dirai* del v. 15. *Cui*: che, oggetto di *vede*; *glebe*: zolle.
5. Dal momento che la sua vita tende solo a sostentare la vita: e questa non è di per sé un valore, un *degno obbietto*.
6. Veglie. *Perigliar*: affrontare pericoli.

Son de' guerrieri e il perigliar nell'armi;
E il mercatante avaro [7] in ozio vive:
Che non a sé, non ad altrui, la bella
Felicità, cui solo agogna e cerca
La natura mortal, veruno acquista 25
Per [8] cura o per sudor, vegghia o periglio.
Pure all'aspro desire onde i mortali
Già sempre infin dal dì che il mondo nacque
D'esser beati sospiraro indarno,
Di medicina in loco [9] apparecchiate 30
Nella vita infelice avea natura
Necessità diverse, a cui non senza
Opra e pensier si provvedesse, e pieno,
Poi che lieto non può, corresse il giorno
All'umana famiglia; onde [10] agitato 35
E confuso il desio, men loco avesse
Al travagliarne il cor. Così de' bruti [11]
La progenie infinita, a cui pur solo,
Né men vano che a noi, vive nel petto
Desio d'esser beati; a quello intenta 40
Che a lor vita è mestier [12], di noi men tristo
Condur si scopre e men gravoso il tempo,
Né la lentezza accagionar dell'ore [13].
Ma noi, che il viver nostro all'altrui mano
Provveder commettiamo [14], una più grave 45
Necessità, cui provveder non puote
Altri che noi, già senza tedio e pena
Non adempiam: necessitate, io dico,
Di consumar [15] la vita: improba, invitta
Necessità, cui non tesoro accolto, 50
Non di greggi dovizia, o pingui campi,
Non aula puote e non purpureo manto [16]

7. Lat., avido.
8. Con valore concessivo: per quanto si affanni in cure, fatiche ecc.
9. In funzione di rimedio (all'*aspro desire* per il quale ecc.): soggetto è *natura*.
10. Costruisci: e perciò (*onde*) il desiderio della felicità, agitato e confuso, avesse meno potere di travagliarci (*-ne*) l'animo.
11. Degli animali; *pur*: anche, come a noi, vive soltanto nel petto ecc.
12. Occupata da ciò che è necessario (*è mestier*) alla loro vita.
13. Né lamentarsi della lentezza delle ore: che si avverte appunto nell'ozio.
14. Lat., affidiamo il compito di provvedere ai nostri bisogni.
15. Consumare occupandola. *Invitta*: invincibile.
16. Né reggia (*aula*) né manto di porpora: condizione regale o principesca.

Sottrar l'umana prole. Or s'altri [17], a sdegno
I vòti anni prendendo, e la superna
Luce odiando, l'omicida mano, 55
I tardi fati [18] a prevenir condotto,
In se stesso non torce; al duro morso
Della brama insanabile che invano
Felicità richiede, esso da tutti
Lati cercando, mille inefficaci 60
Medicine procaccia [19], onde quell'una
Cui natura apprestò, mal si compensa.

Lui delle vesti e delle chiome il culto [20]
E degli atti e dei passi, e i vani studi
Di cocchi e di cavalli, e le frequenti [21] 65
Sale, e le piazze romorose, e gli orti,
Lui giochi e cene e invidiate danze
Tengon [22] la notte e il giorno; a lui dal labbro
Mai non si parte il riso; ahi, ma nel petto,
Nell'imo petto, grave, salda, immota 70
Come colonna adamantina, siede
Noia immortale, incontro a cui non puote
Vigor di giovanezza, e non la crolla
Dolce parola di rosato labbro,
E non lo sguardo tenero, tremante, 75
Di due nere pupille, il caro sguardo,
La più degna del ciel cosa mortale.

Altri, quasi a fuggir volto la trista
Umana sorte, in cangiar terre e climi
L'età [23] spendendo, e mari e poggi errando, 80
Tutto l'orbe trascorre, ogni confine
Degli spazi che all'uom negl'infiniti
Campi del tutto la natura aperse,
Peregrinando aggiunge [24]. Ahi ahi, s'asside

17. Soggetto indefinito: chi dunque ecc. *Superna*: intendi, del sole.
18. La morte che tarda a venire.
19. Va unito a *al duro morso* ecc. del v. 57; rimedi con cui (*onde*) non può compensare quello solo che la natura aveva apprestato, ossia le *necessità diverse* del v. 32.
20. Cura; *studi*: lat., le vane occupazioni di guidare cocchi ecc.
21. Lat., affollate; *orti*: lat., giardini.
22. Tengono occupato: oggetto è *lui* dei vv. 63 e 67.
23. La durata della vita.
24. Lat., raggiunge, tocca.

Su l'alte prue la negra cura[25], e sotto 85
Ogni clima, ogni ciel, si chiama indarno
Felicità, vive tristezza e regna.

Havvi chi le crudeli opre di marte
Si elegge[26] a passar l'ore, e nel fraterno
Sangue la man tinge per ozio; ed havvi 90
Chi d'altrui danni si conforta, e pensa
Con far misero altrui far sé men tristo,
Sì che nocendo usar procaccia il tempo[27].
E chi virtute o sapienza ed arti
Perseguitando; e chi la propria gente 95
Conculcando e l'estrane, o di remoti
Lidi turbando la quiete antica
Col mercatar, con l'armi, e con le frodi,
La destinata sua[28] vita consuma.

Te più mite desio, cura più dolce 100
Regge nel fior di gioventù, nel bello
April degli anni, altrui[29] giocondo e primo
Dono del ciel, ma grave, amaro, infesto
A chi patria non ha. Te punge e move
Studio[30] de' carmi e di ritrar parlando 105
Il bel che raro e scarso e fuggitivo
Appar nel mondo, e quel che più benigna
Di natura e del ciel, fecondamente
A noi la vaga fantasia produce,
E il nostro proprio error[31]. Ben mille volte 110
Fortunato colui che la caduca
Virtù del caro immaginar non perde
Per volger d'anni; a cui serbare eterna
La gioventù del cor diedero i fati;
Che nella ferma e nella stanca etade[32], 115

25. La noia.
26. C'è chi sceglie il mestiere delle armi.
27. Col far male, si ingegna d'impiegare il tempo.
28. A lui assegnata dal destino. Da sottolineare l'allusione, nei versi precedenti, all'opera dei governi reazionari e all'espansione coloniale.
29. Agli altri, agli uomini in generale; in contrapposizione con *A chi patria non ha* (ossia gli italiani). *Giocondo*: causa di gioia.
30. Lat., amore; *parlando*: con la parola, la poesia.
31. L'illusione.
32. Nella maturità e nella vecchiaia.

Così come solea nell'età verde,
In suo chiuso pensier natura abbella,
Morte, deserto avviva. A te conceda
Tanta ventura il ciel; ti faccia un tempo [33]
La favilla che il petto oggi ti scalda, 120
Di poesia canuto amante. Io tutti
Della prima stagione i dolci inganni
Mancar già sento, e dileguar dagli occhi
Le dilettose immagini, che tanto
Amai, che sempre infino all'ora estrema 125
Mi fieno, a ricordar, bramate e piante.
Or quando al tutto irrigidito è freddo
Questo petto sarà, né degli aprichi
Campi il sereno e solitario riso [34],
Né degli augelli mattutini il canto 130
Di primavera, né per colli e piagge
Sotto limpido ciel tacita luna
Commoverammi il cor; quando mi fia
Ogni beltate o di natura o d'arte,
Fatta inanime e muta; ogni alto senso, 135
Ogni tenero affetto, ignoto e strano;
Del mio solo conforto allor mendico [35],
Altri studi men dolci, in ch'io riponga
L'ingrato avanzo della ferrea vita,
Eleggerò. L'acerbo vero, i ciechi 140
Destini investigar delle mortali
E dell'eterne cose; a che prodotta,
A che d'affanni e di miserie carca
L'umana stirpe; a quale ultimo intento
Lei spinga il fato e la natura; a cui [36] 145
Tanto nostro dolor diletti o giovi;
Con quali ordini e leggi a che si volva
Questo arcano universo; il qual di lode
Colmano i saggi, io d'ammirar [37] son pago.

33. In futuro.
34. Enallage: sereni e solitari sono, evidentemente, *i campi aprichi* (illuminati dal sole).
35. Privato. *Studi*: occupazioni; come dirà dopo, la speculazione filosofica.
36. A chi.
37. Di considerare con meraviglia: per il mistero che gli è proprio, se non addirittura « per la sua pravità e deformità che a me paiono estreme » (L.).

In questo specolar [38] gli ozi traendo 150
Verrò: che conosciuto, ancor che tristo,
Ha suoi diletti il vero. E se del vero
Ragionando talor, fieno alle genti
O mal grati i miei detti o non intesi,
Non mi dorrò, che già del tutto il vago 155
Desio di gloria antico in me fia spento;
Vana Diva non pur [39], ma di fortuna
E del fato e d'amor, Diva più cieca.

38. Speculare filosofico.
39. Dea non solo vana, ma più cieca ecc.

XX

IL RISORGIMENTO [1]

Credei ch'al tutto fossero
In me, sul fior degli anni,
Mancati i dolci affanni
Della mia prima età:
I dolci affanni, i teneri 5
Moti del cor profondo,
Qualunque cosa al mondo
Grato il sentir ci fa [2].

Quante querele e lacrime
Sparsi nel novo stato, 10
Quando al mio cor gelato
Prima [3] il dolor mancò!
Mancàr gli usati palpiti,
L'amor mi venne meno,
E irrigidito il seno 15
Di sospirar cessò!

Piansi spogliata, esanime
Fatta per me la vita [4];
La terra inaridita,
Chiusa in eterno gel; 20
Deserto il dì; la tacita
Notte più sola e bruna;
Spenta per me la luna,
Spente le stelle in ciel.

1. Canzonetta in doppie quartine di settenari, composta a Pisa dal 7 al 13 aprile 1828.
2. Ci rende cara la facoltà di sentire, la sensibilità; di cui appunto la poesia canta il "risorgimento".
3. Per la prima volta. *Mancàr*: mancarono.
4. Che per me la vita fosse divenuta spoglia e disanimata.

Pur di quel pianto origine — 25
Era l'antico affetto [5]:
Nell'intimo del petto
Ancor viveva il cor.
Chiedea l'usate immagini
La stanca fantasia; — 30
E la tristezza mia
Era dolore ancor.

Fra poco [6] in me quell'ultimo
Dolore anco fu spento,
E di più far lamento — 35
Valor non mi restò.
Giacqui: insensato [7], attonito,
Non dimandai conforto:
Quasi perduto e morto,
Il cor s'abbandonò. — 40

Qual fui; quanto dissimile
Da quel che tanto ardore,
Che sì beato errore [8]
Nutrii nell'alma un dì!
La rondinella vigile, — 45
Alle finestre intorno
Cantando al novo giorno,
Il cor non mi ferì:

Non all'autunno pallido
In solitaria villa [9], — 50
La vespertina squilla,
Il fuggitivo Sol.
Invan brillare il vespero
Vidi per muto calle [10],
Invan sonò la valle — 55
Del flebile usignol.

E voi, pupille tenere,

5. La capacità di provare sentimenti. *Antico*: della giovinezza.
6. Poco dopo. *Valor*: forza, capacità.
7. Insensibile.
8. Illusione. *Beato* ha valore attivo: che rende beati.
9. Paese. *Squilla*: campana.
10. Sentiero solitario, e quindi silenzioso.

Sguardi furtivi, erranti,
Voi de' gentili amanti
Primo, immortale amor, 60
  Ed alla mano offertami
Candida ignuda mano,
Foste voi pure invano [11]
Al duro mio sopor.

  D'ogni dolcezza vedovo, 65
Tristo; ma non turbato,
Ma placido il mio stato,
Il volto era seren.
  Desiderato il termine
Avrei del viver mio; 70
Ma spento era il desio [12]
Nello spossato sen.

  Qual dell'età decrepita
L'avanzo [13] ignudo e vile,
Io conducea l'aprile 75
Degli anni miei così:
  Così quegl'ineffabili
Giorni, o mio cor, traevi,
Che sì fugaci e brevi
Il cielo a noi sortì. 80

  Chi dalla grave, immemore
Quiete or mi ridesta?
Che virtù nova [14] è questa,
Questa che sento in me?
  Moti soavi, immagini, 85
Palpiti, error beato,
Per sempre a voi negato
Questo mio cor non è?

  Siete pur [15] voi quell'unica
Luce de' giorni miei? 90
Gli affetti ch'io perdei

11. Incapaci di scuotermi dal profondo torpore.
12. Intendi, della morte.
13. L'ultimo resto della vecchiaia; *vile*: di nessun valore.
14. Inatteso potere.
15. Ancora, proprio.

Nella novella età?
    Se al ciel, s'ai verdi margini [16],
Ovunque il guardo mira,
Tutto un dolor mi spira, 95
Tutto un piacer mi dà.

    Meco ritorna a vivere
La piaggia, il bosco, il monte;
Parla al mio core il fonte,
Meco favella il mar. 100
    Chi mi ridona il piangere
Dopo cotanto obblio?
E come al guardo mio
Cangiato il mondo appar?

    Forse la speme, o povero 105
Mio cor, ti volse un riso?
Ahi della speme il viso
Io non vedrò mai più.
    Proprii [17] mi diede i palpiti,
Natura, e i dolci inganni. 110
Sopiro in me gli affanni
L'ingenita virtù;

    Non l'annullàr: non vinsela
Il fato e la sventura;
Non con la vista impura [18] 115
L'infausta verità.
    Dalle mie vaghe immagini
So ben ch'ella discorda:
So che natura è sorda,
Che miserar non sa. 120

    Che non del ben sollecita
Fu, ma dell'esser solo [19]:
Purché ci serbi al duolo,

16. Sta per "luoghi" genericamente.
17. Miei propri, innati; ma gli affanni sopirono poi tale facoltà (*virtù*) di sentire e immaginare.
18. Che rende impuri, che ci sottrae alla purezza originaria.
19. È il tema della natura indifferente; suo compito è dare alle creature l'esistenza semplicemente, non la felicità. E dunque (*or*) a lei non importa altro che di conservarci al dolore (poiché l'esistenza sola, senza il piacere, è infelice).

Or d'altro a lei non cal.
So che pietà fra gli uomini 125
Il misero non trova;
Che lui fuggendo, a prova [20]
Schernisce ogni mortal.

Che ignora il tristo secolo [21]
Gl'ingegni e le virtudi; 130
Che manca ai degni studi
L'ignuda gloria ancor.
E voi, pupille tremule,
Voi, raggio sovrumano,
So che splendete invano, 135
Che in voi non brilla amor.

Nessuno ignoto ed intimo
Affetto in voi non brilla:
Non chiude una favilla
Quel bianco petto in sé. 140
Anzi d'altrui le tenere
Cure suol porre in gioco;
E d'un celeste foco [22]
Disprezzo è la mercé.

Pur sento in me rivivere 145
Gl'inganni aperti e noti [23];
E de' suoi proprii moti
Si maraviglia il sen.
Da te, mio cor, quest'ultimo
Spirto [24] e l'ardor natio, 150
Ogni conforto mio
Solo da te mi vien.

Mancano, il sento, all'anima
Alta, gentile [25] e pura,
La sorte, la natura, 155
Il mondo e la beltà.

20. A gara lo schernisce ogni altro uomo.
21. Il mondo presente, corrotto.
22. Va unito a *mercé*: il disprezzo è ricompensa dell'amore.
23. Le illusioni, di cui pure ha sperimentato la vanità.
24. Respiro.
25. Nobile.

Ma se tu vivi, o misero,
Se non concedi al fato[26],
Non chiamerò spietato
Chi lo spirar mi dà. 160

26. Se non cedi al destino: si rivolge sempre, come al v. 149, al cuore.

XXI

A SILVIA[1]

Silvia, rimembri ancora
Quel tempo della tua vita mortale,
Quando beltà splendea
Negli occhi tuoi ridenti e fuggitivi[2],
E tu, lieta e pensosa, il limitare 5
Di gioventù salivi?

Sonavan le quiete
Stanze, e le vie dintorno,
Al tuo perpetuo canto,
Allor che all'opre femminili intenta 10
Sedevi, assai[3] contenta
Di quel vago avvenir che in mente avevi.
Era il maggio odoroso: e tu solevi
Così menare il giorno.

Io gli studi leggiadri 15
Talor lasciando e le sudate[4] carte,
Ove il tempo mio primo
E di me si spendea la miglior parte,
D'in su i veroni del paterno ostello
Porgea gli orecchi al suon della tua voce 20

1. Strofe libere di endecasillabi e settenari. Composto a Pisa dal 19 al 20 aprile 1828. Silvia è identificata con Teresa Fattorini, figlia del cocchiere di casa Leopardi, morta di tisi nel 1818: ma è qui figura e simbolo di un destino universale; ed il suo nome adombra suggestioni letterarie (Silvia si chiama, ad esempio, la protagonista dell'*Aminta* del Tasso).
2. Schivi. *Limitare*: soglia.
3. Nel senso arcaico di "abbastanza", "a sufficienza". *Vago*: bello, proprio perché indeterminato.
4. Sulle quali mi affaticavo.

Ed alla man veloce
Che percorrea la faticosa tela.
Mirava il ciel sereno,
Le vie dorate e gli orti,
E quinci il mar da lungi, e quindi [5] il monte. 25
Lingua mortal non dice
Quel ch'io sentiva in seno.

Che pensieri soavi,
Che speranze, che cori [6], o Silvia mia!
Quale allor ci apparia 30
La vita umana e il fato!
Quando sovviemmi di cotanta speme,
Un affetto [7] mi preme
Acerbo e sconsolato,
E tornami a doler di mia sventura. 35
O natura, o natura.
Perché non rendi poi
Quel che prometti allor? perché di tanto
Inganni i figli tuoi?

Tu pria che l'erbe inaridisse il verno, 40
Da chiuso [8] morbo combattuta e vinta,
Perivi, o tenerella. E non vedevi
Il fior degli anni tuoi;
Non ti molceva [9] il core
La dolce lode or delle negre chiome, 45
Or degli sguardi innamorati [10] e schivi;
Né teco le compagne ai dì festivi
Ragionavan d'amore.

Anche peria fra poco
La speranza mia dolce: agli anni miei 50
Anche negaro i fati
La giovanezza. Ahi come,
Come passata sei,

5. *Quinci... quindi*: da una parte, dall'altra.
6. Quali erano allora i nostri cuori.
7. Sentimento.
8. Occulto, nascosto.
9. Lusingava.
10. Con valore attivo: che innamorano.

Cara compagna dell'età mia nova [11],
Mia lacrimata speme! 55
Questo è quel mondo? questi
I diletti, l'amor, l'opre, gli eventi
Onde [12] cotanto ragionammo insieme?
Questa la sorte dell'umane genti?
All'apparir del vero 60
Tu, misera, cadesti: e con la mano
La fredda morte ed una tomba ignuda
Mostravi di lontano.

11. Compagna della mia giovinezza: si rivolge, di qui in poi, non più a Silvia, ma alla speranza.
12. Di cui.

XXII

LE RICORDANZE [1]

Vaghe stelle dell'Orsa, io non credea
Tornare ancor per uso a contemplarvi
Sul paterno giardino scintillanti,
E ragionar con voi dalle finestre
Di questo albergo [2] ove abitai fanciullo, 5
E delle gioie mie vidi la fine.
Quante immagini un tempo, e quante fole
Creommi nel pensier l'aspetto [3] vostro
E delle luci a voi compagne! allora
Che, tacito, seduto in verde zolla, 10
Delle sere io solea passar gran parte
Mirando il cielo, ed ascoltando il canto
Della rana rimota alla campagna!
E la lucciola errava appo [4] le siepi
E in su l'aiuole, susurrando al vento 15
I viali odorati, ed i cipressi
Là nella selva; e sotto al patrio tetto
Sonavan voci alterne, e le tranquille
Opre de' servi. E che pensieri immensi,
Che dolci sogni mi spirò la vista 20
Di quel lontano mar, quei monti azzurri,
Che di qua scopro, e che varcare un giorno
Io mi pensava, arcani mondi, arcana
Felicità fingendo [5] al viver mio!

1. Endecasillabi sciolti. Composto a Recanati tra il 26 agosto e il 12 settembre 1829.
2. Dimora.
3. La vista vostra e delle altre stelle (*luci*).
4. Lat., presso.
5. Immaginando, dando forma nel pensiero (così al v. 76). *Ignaro*: regge, oltre che *del mio fato*, anche (di) *quante volte*.

Ignaro del mio fato, e quante volte 25
Questa mia vita dolorosa e nuda
Volentier con la morte avrei cangiato.

Né mi diceva il cor che l'età verde
Sarei dannato a consumare in questo
Natio borgo selvaggio, intra una gente 30
Zotica, vil; cui nomi strani, e spesso
Argomento [6] di riso e di trastullo,
Son dottrina e saper; che m'odia e fugge,
Per invidia non già, che non mi tiene
Maggior di sé, ma perché tale estima 35
Ch'io mi tenga in cor mio, sebben di fuori
A persona giammai non ne fo segno.
Qui passo gli anni, abbandonato, occulto,
Senz'amor, senza vita; ed aspro a forza
Tra lo stuol de' malevoli divengo: 40
Qui di pietà mi spoglio e di virtudi,
E sprezzator degli uomini mi rendo,
Per la greggia ch'ho appresso: e intanto vola
Il caro tempo giovanil; più caro
Che la fama e l'allor [7], più che la pura 45
Luce del giorno, e lo spirar: ti perdo
Senza un diletto, inutilmente, in questo
Soggiorno disumano, intra gli affanni,
O dell'arida vita unico fiore.

Viene il vento recando il suon dell'ora 50
Dalla torre del borgo. Era conforto
Questo suon, mi rimembra, alle mie notti,
Quando fanciullo, nella buia stanza,
Per assidui terrori io vigilava [8],
Sospirando il mattin. Qui non è cosa 55
Ch'io vegga o senta, onde [9] un'immagin dentro
Non torni, e un dolce rimembrar non sorga.
Dolce per sé; ma con dolor sottentra
Il pensier del presente, un van desio
Del passato, ancor [10] tristo, e il dire: io fui. 60

6. Causa.
7. La gloria poetica; *lo spirar*: la vita.
8. Vegliavo.
9. *Onde... non*: senza che.
10. Benché.

Quella loggia colà, volta agli estremi
Raggi del dì; queste dipinte mura,
Quei figurati armenti, e il Sol che nasce
Su romita campagna [11], agli ozi miei
Porser mille diletti allor che al fianco 65
M'era, parlando, il mio possente errore [12]
Sempre, ov'io fossi. In queste sale antiche,
Al chiaror delle nevi, intorno a queste
Ampie finestre sibilando il vento,
Rimbombaro i sollazzi e le festose 70
Mie voci al tempo che l'acerbo, indegno
Mistero delle cose a noi si mostra
Pien di dolcezza; indelibata [13], intera
Il garzoncel, come inesperto amante,
La sua vita ingannevole vagheggia, 75
E celeste beltà fingendo ammira.

O speranze, speranze; ameni inganni
Della mia prima età! sempre, parlando,
Ritorno a voi; che per [14] andar di tempo,
Per variar d'affetti e di pensieri, 80
Obbliarvi non so. Fantasmi, intendo,
Son la gloria e l'onor; diletti e beni
Mero desio; non ha la vita un frutto,
Inutile miseria. E sebben vòti
Son gli anni miei, sebben deserto, oscuro 85
Il mio stato mortal, poco mi toglie
La fortuna, ben veggo. Ahi, ma qualvolta
A voi ripenso, o mie speranze antiche,
Ed a quel caro immaginar mio primo;
Indi riguardo il viver mio sì vile [15] 90
E sì dolente, e che la morte è quello
Che di cotanta speme oggi m'avanza;
Sento serrarmi il cor, sento ch'al tutto
Consolarmi non so del mio destino.
E quando pur questa invocata morte 95
Sarammi allato, e sarà giunto il fine
Della sventura mia; quando la terra

11. Affreschi alle pareti della stanza.
12. La fantasia che, come se mi parlasse, trasfigurava le cose.
13. Non gustata.
14. Con valore concessivo: per quanto passi il tempo ecc.
15. Di poco pregio.

Mi fia straniera valle, e dal mio sguardo
Fuggirà l'avvenir; di voi per certo
Risovverrammi; e quell'imago ancora 100
Sospirar mi farà, farammi acerbo
L'esser vissuto indarno, e la dolcezza
Del dì fatal tempererà d'affanno [16].

E già nel primo giovanil tumulto
Di contenti, d'angosce e di desio, 105
Morte chiamai più volte, e lungamente
Mi sedetti colà su la fontana
Pensoso di cessar dentro quell'acque
La speme e il dolor mio. Poscia, per cieco [17]
Malor, condotto della vita in forse, 110
Piansi la bella giovanezza, e il fiore
De' miei poveri dì, che sì per tempo
Cadeva: e spesso all'ore tarde, assiso
Sul conscio [18] letto, dolorosamente
Alla fioca lucerna poetando, 115
Lamentai co' silenzi e con la notte
Il fuggitivo spirto [19], ed a me stesso
In sul languir cantai funereo canto.

Chi rimembrar vi può senza sospiri,
O primo entrar di giovinezza, o giorni 120
Vezzosi, inenarrabili, allor quando
Al rapito mortal primieramente
Sorridon le donzelle; a gara intorno
Ogni cosa sorride; invidia tace,
Non desta ancora ovver benigna; e quasi 125
(Inusitata maraviglia!) il mondo
La destra soccorrevole gli porge,
Scusa gli errori suoi, festeggia il novo
Suo venir nella vita, ed inchinando
Mostra che per signor l'accolga e chiami? 130
Fugaci giorni! a somigliar d'un lampo
Son dileguati. E qual mortale ignaro
Di sventura esser può, se a lui già scorsa

16. Mescolerà di amarezza il sollievo della morte.
17. Occulto.
18. Testimone del mio affanno.
19. La vita che fuggiva.

Quella vaga stagion, se il suo buon tempo,
Se giovanezza, ahi giovanezza, è spenta? 135

O Nerina[20]! e di te forse non odo
Questi luoghi parlar? caduta forse
Dal mio pensier sei tu? Dove sei gita[21],
Che qui sola di te la ricordanza
Trovo, dolcezza mia? Più non ti vede 140
Questa Terra natal: quella finestra,
Ond'eri usata[22] favellarmi, ed onde
Mesto riluce delle stelle il raggio,
È deserta. Ove sei, che più non odo
La tua voce sonar, siccome un giorno, 145
Quando soleva ogni lontano accento
Del labbro tuo, ch'a me giungesse, il volto
Scolorarmi? Altro tempo. I giorni tuoi
Furo, mio dolce amor. Passasti. Ad altri
Il passar per la terra oggi è sortito[23], 150
E l'abitar questi odorati colli.
Ma rapida passasti; e come un sogno
Fu la tua vita. Ivi[24] danzando; in fronte
La gioia ti splendea, splendea negli occhi
Quel confidente immaginar, quel lume 155
Di gioventù, quando spegneali il fato,
E giacevi. Ahi Nerina! In cor mi regna
L'antico amor. Se a feste anco talvolta,
Se a radunanze io movo, infra me stesso
Dico: o Nerina, a radunanze, a feste 160
Tu non ti acconci più, tu più non movi.
Se torna maggio, e ramoscelli e suoni
Van gli amanti recando alle fanciulle,
Dico: Nerina mia, per te non torna
Primavera giammai, non torna amore. 165
Ogni giorno sereno, ogni fiorita
Piaggia[25] ch'io miro, ogni goder ch'io sento,

20. Forse si tratta di Teresa Fattorini, la fanciulla di *A Silvia*, o di altra ancora; ma la persona reale non conta. Anche qui il nome poetico adombra una suggestione letteraria: Nerina è una compagna di Silvia, la protagonista dell'*Aminta* del Tasso.
21. Andata.
22. Dalla quale eri solita.
23. È dato in sorte.
24. Andavi.
25. Luogo in generale; prato.

Dico: Nerina or più non gode; i campi,
L'aria non mira. Ahi tu passasti, eterno
Sospiro mio: passasti: e fia compagna   170
D'ogni mio vago immaginar, di tutti
I miei teneri sensi [26], i tristi e cari
Moti del cor, la rimembranza acerba.

26. Sentimenti.

XXIII

CANTO NOTTURNO DI UN PASTORE ERRANTE DELL'ASIA[1]

Che fai tu, luna, in ciel? dimmi, che fai,
Silenziosa luna?
Sorgi la sera, e vai,
Contemplando i deserti; indi ti posi.
Ancor non sei tu paga 5
Di riandare i sempiterni calli[2]?
Ancor non prendi a schivo, ancor sei vaga
Di mirar queste valli?
Somiglia alla tua vita
La vita del pastore. 10
Sorge in sul primo albore;
Move la greggia oltre pel campo, e vede
Greggi, fontane ed erbe;
Poi stanco si riposa in su la sera:
Altro mai non ispera. 15
Dimmi, o luna: a che vale
Al pastor la sua vita,
La vostra vita a voi? dimmi: ove tende
Questo vagar mio breve,
Il tuo corso immortale? 20

Vecchierel bianco, infermo,
Mezzo vestito e scalzo,
Con gravissimo fascio[3] in su le spalle,
Per montagna e per valle,
Per sassi acuti, ed alta rena[4], e fratte, 25

1. Strofe libere di endecasillabi e settenari. Composto a Recanati tra il 22 ottobre 1829 e il 9 aprile 1830.
2. Di ripercorrere eternamente le vie del cielo. *Schivo*: noia; *vaga*: desiderosa.
3. Peso, carico.
4. Sabbia profonda; *fratte*: declivi ingombri di sterpi.

Al vento, alla tempesta, e quando avvampa
L'ora, e quando poi gela,
Corre via, corre, anela,
Varca torrenti e stagni,
Cade, risorge, e più e più s'affretta, 30
Senza posa o ristoro,
Lacero, sanguinoso; infin ch'arriva
Colà dove la via
E dove il tanto affaticar fu volto:
Abisso orrido, immenso [5], 35
Ov'ei precipitando, il tutto obblia.
Vergine luna, tale
È la vita mortale.

Nasce l'uomo a fatica,
Ed è rischio di morte il nascimento [6]. 40
Prova pena e tormento
Per prima cosa; e in sul principio stesso
La madre e il genitore
Il prende a consolar [7] dell'esser nato.
Poi che crescendo viene, 45
L'uno e l'altro il sostiene, e via pur sempre
Con atti e con parole
Studiasi fargli core [8],
E consolarlo dell'umano stato:
Altro ufficio più grato 50
Non si fa da parenti [9] alla lor prole.
Ma perché dare al sole,
Perché reggere in vita
Chi poi di quella consolar convenga [10]?
Se la vita è sventura, 55
Perché da noi si dura [11]?
Intatta luna, tale
È lo stato mortale.
Ma tu mortal non sei,
E forse del mio dir poco ti cale. 60

5. Spiega *colà* del v. 33. Fuor di metafora, la morte.
6. E già il nascere rappresenta per lui il primo rischio di morte.
7. Comincia a consolarlo.
8. Cerca di fargli coraggio.
9. Lat.: non può esser fatto da genitori.
10. Sia necessario.
11. Continuiamo a sopportare.

Pur tu, solinga, eterna peregrina,
Che sì pensosa sei, tu forse intendi,
Questo viver terreno,
Il patir nostro, il sospirar, che sia;
Che sia questo morir, questo supremo 65
Scolorar del sembiante [12],
E perir dalla terra, e venir meno
Ad ogni usata, amante compagnia.
E tu certo comprendi
Il perché delle cose, e vedi il frutto 70
Del mattin, della sera,
Del tacito, infinito andar del tempo.
Tu sai, tu certo, a qual suo dolce amore
Rida la primavera [13],
A chi giovi l'ardore, e che procacci 75
Il verno co' suoi ghiacci.
Mille cose sai tu, mille discopri,
Che son celate al semplice pastore.
Spesso quand'io ti miro
Star così muta in sul deserto piano, 80
Che, in suo giro [14] lontano, al ciel confina;
Ovver con la mia greggia
Seguirmi viaggiando a mano a mano;
E quando miro in cielo arder le stelle;
Dico fra me pensando: 85
A che tante facelle [15]?
Che fa l'aria infinita, e quel profondo
Infinito seren? che vuol dir questa
Solitudine immensa? ed io che sono?
Così meco ragiono: e della stanza [16] 90
Smisurata e superba,
E dell'innumerabile famiglia [17];
Poi di tanto adoprar, di tanti moti
D'ogni celeste, ogni terrena cosa,
Girando [18] senza posa, 95
Per tornar sempre là donde son mosse;

12. Intendi: nel pallore della morte.
13. Intendi: come un amante all'amato.
14. Il cerchio dell'orizzonte.
15. Luci: stelle.
16. Sede: l'universo.
17. Gli esseri viventi. *Di tanto adoprar*: di tanto affaticarsi.
18. Il gerundio qui ha valore di participio.

Uso alcuno, alcun frutto
Indovinar non so. Ma tu per certo,
Giovinetta immortal, conosci il tutto.
Questo io conosco e sento, 100
Che degli eterni giri [19],
Che dell'esser mio frale,
Qualche bene o contento
Avrà fors'altri; a me la vita è male.

O greggia mia che posi, oh te beata 105
Che la miseria tua, credo, non sai!
Quanta invidia ti porto!
Non sol perché d'affanno
Quasi libera vai;
Ch'ogni stento, ogni danno, 110
Ogni estremo timor subito scordi;
Ma più perché giammai tedio non provi.
Quando tu siedi all'ombra, sovra l'erbe,
Tu se' queta e contenta;
E gran parte dell'anno 115
Senza noia consumi in quello stato.
Ed io pur seggo sovra l'erbe, all'ombra,
E un fastidio m'ingombra
La mente, ed uno spron quasi mi punge
Sì che, sedendo, più che mai son lunge 120
Da trovar pace o loco.
E pur nulla non bramo,
E non ho fino a qui cagion di pianto.
Quel che tu goda o quanto,
Non so già dir; ma fortunata sei. 125
Ed io godo ancor [20] poco,
O greggia mia, né di ciò sol mi lagno.
Se tu parlar sapessi, io chiederei:
Dimmi: perché giacendo
A bell'agio, ozioso, 130
S'appaga ogni animale;
Me, s'io giaccio in riposo, il tedio assale?

Forse s'avess'io l'ale
Da volar su le nubi,

19. Cieli, astri. *Frale*: fragile.
20. Inoltre, in aggiunta.

E noverar le stelle ad una ad una, 135
O come il tuono errar di giogo in giogo,
Più felice sarei, dolce mia greggia,
Più felice sarei, candida luna.
O forse erra dal vero [21],
Mirando all'altrui sorte, il mio pensiero: 140
Forse in qual forma, in quale
Stato che sia, dentro covile o cuna,
È funesto a chi nasce il dì natale.

21. Si allontana dalla verità.

XXIV

LA QUIETE DOPO LA TEMPESTA [1]

Passata è la tempesta:
Odo augelli far festa, e la gallina,
Tornata in su la via,
Che ripete il suo verso. Ecco il sereno
Rompe là da ponente, alla montagna [2]; 5
Sgombrasi la campagna,
E chiaro nella valle il fiume appare.
Ogni cor si rallegra, in ogni lato
Risorge il romorio,
Torna il lavoro usato. 10
L'artigiano a mirar l'umido cielo,
Con l'opra in man, cantando,
Fassi in su l'uscio; a prova [3]
Vien fuor la femminetta a còr dell'acqua
Della novella piova; 15
E l'erbaiuol rinnova
Di sentiero in sentiero
Il grido giornaliero.
Ecco il Sol che ritorna, ecco sorride
Per li poggi e le ville. Apre i balconi, 20
Apre terrazzi e logge la famiglia [4]:
E, dalla via corrente, odi lontano
Tintinnio di sonagli; il carro stride
Del passegger che il suo cammin ripiglia.

Si rallegra ogni core. 25
Sì dolce, sì gradita

1. Strofe libere di endecasillabi e settenari. Composto a Recanati tra il 17 e il 20 settembre 1829.
2. Verso la montagna, dalla parte della montagna.
3. A gara; *còr*: cogliere, attingere.
4. Arcaismo: la servitù; *via corrente*: la via maestra.

Quand'è, com'or, la vita?
Quando con tanto amore
L'uomo a' suoi studi [5] intende?
O torna all'opre? o cosa nova imprende? 30
Quando de' mali suoi men si ricorda?
Piacer figlio d'affanno [6];
Gioia vana, ch'è frutto
Del passato timore, onde [7] si scosse
E paventò la morte 35
Chi la vita abborria;
Onde in lungo tormento,
Fredde, tacite, smorte,
Sudàr le genti e palpitàr, vedendo
Mossi alle nostre offese [8] 40
Folgori, nembi e vento.

O natura cortese [9],
Son questi i doni tuoi,
Questi i diletti sono
Che tu porgi ai mortali. Uscir di pena 45
È diletto fra noi.
Pene tu spargi a larga mano; il duolo
Spontaneo sorge: e di piacer, quel tanto
Che per mostro [10] e miracolo talvolta
Nasce d'affanno, è gran guadagno. Umana 50
Prole cara agli eterni! assai felice
Se respirar ti lice
D'alcun dolor: beata
Se te d'ogni dolor morte risana.

5. Lat., occupazioni.
6. Il piacere non esiste di per sé, ma deriva semplicemente dalla sospensione del dolore.
7. A causa del quale anche chi aborriva la vita ecc.
8. Ad offenderci.
9. Benigna, generosa (detto per ironia).
10. Lat., prodigio.

XXV

IL SABATO DEL VILLAGGIO[1]

La donzelletta vien dalla campagna,
In sul calar del sole,
Col suo fascio dell'erba; e reca in mano
Un mazzolin di rose e di viole,
Onde[2], siccome suole, 5
Ornare ella si appresta
Dimani, al dì di festa, il petto e il crine.
Siede con le vicine
Su la scala a filar la vecchierella,
Incontro là dove si perde il giorno[3]; 10
E novellando vien del suo buon tempo,
Quando ai dì della festa ella si ornava,
Ed ancor sana e snella
Solea danzar la sera intra di quei[4]
Ch'ebbe compagni dell'età più bella. 15
Già tutta l'aria imbruna,
Torna azzurro il sereno, e tornan l'ombre
Giù da' colli e da' tetti,
Al biancheggiar della recente luna.
Or la squilla dà segno 20
Della festa che viene;
Ed a quel suon diresti
Che il cor si riconforta.
I fanciulli gridando
Su la piazzuola in frotta, 25
E qua e là saltando,

1. Strofe libere di endecasillabi e settenari. Composto a Recanati tra il 20 e il 29 settembre 1829.
2. Con cui.
3. Volta verso occidente; *novellando*: raccontando.
4. In mezzo, insieme a coloro.

Fanno un lieto romore:
E intanto riede alla sua parca mensa,
Fischiando, il zappatore,
E seco pensa al dì del suo riposo. 30

Poi quando intorno è spenta ogni altra face [5],
E tutto l'altro tace,
Odi il martel picchiare, odi la sega
Del legnaiuol, che veglia
Nella chiusa bottega alla lucerna, 35
E s'affretta, e s'adopra
Di fornir [6] l'opra anzi il chiarir dell'alba.

Questo di sette è il più gradito giorno,
Pien di speme e di gioia:
Diman tristezza e noia 40
Recheran l'ore, ed al travaglio usato
Ciascuno in suo pensier farà ritorno.

Garzoncello scherzoso [7],
Cotesta età fiorita
È come un giorno d'allegrezza pieno, 45
Giorno chiaro, sereno,
Che precorre alla festa di tua vita.
Godi, fanciullo mio; stato soave,
Stagion lieta è cotesta.
Altro dirti non vo'; ma la tua festa 50
Ch'anco tardi a venir non ti sia grave [8].

5. Lume. *Tutto l'altro*: ogni altra cosa.
6. Finire.
7. Per il quale appunto, come dirà poi, la vita futura ancora è vagheggiata come una festa.
8. Non ti dispiaccia che la tua festa, l'età matura, tardi ancora a venire.

XXVI

IL PENSIERO DOMINANTE [1]

Dolcissimo, possente
Dominator di mia profonda mente [2];
Terribile, ma caro
Dono del ciel; consorte [3]
Ai lùgubri miei giorni, 5
Pensier che innanzi a me sì spesso torni.

Di tua natura arcana
Chi non favella? il suo poter fra noi
Chi non sentì? Pur sempre
Che [4] in dir gli effetti suoi 10
Le umane lingue il sentir proprio sprona,
Par novo ad ascoltar ciò ch'ei ragiona.

Come solinga è fatta
La mente mia d'allora
Che [5] tu quivi prendesti a far dimora! 15
Ratto d'intorno intorno al par del lampo
Gli altri pensieri miei
Tutti si dileguàr. Siccome torre

1. Strofe libere di endecasillabi e settenari. La data di composizione è incerta, entro un periodo che va comunque dal '31 al '35. Con ogni probabilità, invece, può dirsi che questa come le tre seguenti e il *Consalvo* furono ispirate all'amore non corrisposto per Fanny Targioni Tozzetti, conosciuta a Firenze nel 1830: è plausibile tuttavia che la vicenda sentimentale adombrata in questi canti abbia avuto svolgimento a partire dal '33, e a tale anno quindi andrebbe assegnato *Il pensiero dominante.*
2. Lat.: del profondo della mia anima.
3. Compagno.
4. Tuttavia, ogni volta che; soggetto è *il sentir proprio*, l'intimo sentimento.
5. Da quando.

In solitario campo,
Tu stai solo, gigante, in mezzo a lei. 20

Che divenute son, fuor di te solo,
Tutte l'opre terrene,
Tutta intera la vita al guardo mio!
Che intollerabil noia
Gli ozi, i commerci usati [6], 25
E di vano piacer la vana spene,
Allato a [7] quella gioia,
Gioia celeste che da te mi viene!

Come da' nudi sassi
Dello scabro Apennino 30
A un campo verde che lontan sorrida
Volge gli occhi bramoso il pellegrino;
Tal io dal secco ed aspro [8]
Mondano conversar vogliosamente,
Quasi in lieto giardino, a te ritorno, 35
E ristora i miei sensi il tuo soggiorno [9].

Quasi incredibil parmi
Che la vita infelice e il mondo sciocco
Già per gran tempo assai
Senza te sopportai; 40
Quasi intender non posso
Come d'altri desiri,
Fuor ch'a te somiglianti, altri [10] sospiri.

Giammai d'allor che in pria [11]
Questa vita che sia per prova intesi, 45
Timor di morte non mi strinse il petto.
Oggi mi pare un gioco
Quella [12] che il mondo inetto,
Talor lodando, ognora abborre e trema,
Necessitade estrema; 50

6. La compagnia familiare degli altri uomini.
7. A confronto di.
8. Arido e molesto.
9. Il soggiornare, il dimorare con te.
10. Soggetto impersonale: come ci possa essere chi sospiri ecc.
11. Da quando per la prima volta.
12. Da unire a *necessitade estrema* (la morte); *ognora*: sempre. Nota l'uso transitivo di *trema.*

E se periglio appar, con un sorriso
Le sue minacce a contemplar m'affiso.

Sempre i codardi, e l'alme
Ingenerose [13], abbiette
Ebbi in dispregio. Or punge ogni atto indegno 55
Subito i sensi miei;
Move l'alma ogni esempio
Dell'umana viltà subito a sdegno.
Di questa età superba,
Che di vote speranze si nutrica [14], 60
Vaga di ciance, e di virtù nemica;
Stolta, che l'util chiede,
E inutile la vita
Quindi [15] più sempre divenir non vede;
Maggior mi sento. A scherno 65
Ho gli umani giudizi; e il vario volgo
A' bei pensieri infesto,
E degno tuo [16] disprezzator, calpesto.

A quello onde tu movi,
Quale affetto non cede [17]? 70
Anzi qual altro affetto
Se non quell'uno [18] intra i mortali ha sede?
Avarizia, superbia, odio, disdegno,
Studio [19] d'onor, di regno,
Che sono altro che voglie 75
Al paragon di lui? Solo un affetto
Vive tra noi: quest'uno,
Prepotente [20] signore,
Dieder l'eterne leggi all'uman core.

13. Ignobili.
14. Si nutre; *vaga*: desiderosa, amante. In questi versi si affaccia la polemica contro la cultura liberale fiorentina e il suo privilegiamento delle scienze economiche e sociali (*l'util*).
15. In conseguenza di ciò.
16. Di te, del pensiero d'amore.
17. Quale sentimento non è inferiore a quello (l'amore) dal quale tu (il pensiero) trai origine.
18. Quello solo (così al v. 77, *quest'uno*).
19. Lat., desiderio, cupidigia. *Voglie*: in contrapposizione ad *affetto*: desideri volgari.
20. Superlativo: potente sopra ogni altro. *L'eterne leggi*: intendi, del fato.

Pregio non ha, non ha ragion la vita 80
Se non per lui, per lui ch'all'uomo è tutto;
Sola discolpa al fato,
Che noi mortali in terra
Pose a tanto patir senz'altro frutto;
Solo per cui talvolta, 85
Non alla gente stolta, al cor non vile
La vita della morte è più gentile [21].

Per còr le gioie tue, dolce pensiero,
Provar gli umani affanni,
E sostener molt'anni 90
Questa vita mortal, fu non indegno [22];
Ed ancor tornerei,
Così qual son de' nostri mali esperto,
Verso un tal segno a incominciare il corso [23]:
Che tra le sabbie e tra il vipereo morso, 95
Giammai finor sì stanco
Per lo mortal deserto [24]
Non venni a te, che queste nostre pene
Vincer non mi paresse un tanto bene.

Che mondo mai, che nova 100
Immensità, che paradiso è quello
Là dove spesso il tuo stupendo incanto
Parmi innalzar [25]! dov'io,
Sott'altra luce che l'usata errando,
Il mio terreno stato 105
E tutto quanto il ver pongo in obblio!
Tali son, credo, i sogni
Degl'immortali. Ahi finalmente un sogno [26]
In molta parte onde s'abbella il vero
Sei tu, dolce pensiero; 110

21. Più nobile, di più valore.
22. Fu cosa degna, che valeva la pena: per arrivare appunto a cogliere (*còr*) ecc.
23. Tornerei a cominciare il viaggio, per giungere a tale meta (*segno*). Poiché (*Che*) ecc.
24. Il deserto della vita umana; di qui appunto la metafora *tra le sabbie e tra il vipereo morso*.
25. Sembra innalzarmi, riempiendomi di stupore (*stupendo*).
26. In realtà (*finalmente*) soltanto un sogno in gran parte: in virtù del quale (*onde*) la triste verità delle cose si copre di belle parvenze.

Sogno e palese error. Ma di natura,
Infra i leggiadri errori,
Divina sei [27]; perché sì viva e forte,
Che incontro al ver tenacemente dura,
E spesso al ver s'adegua, 115
Né si dilegua pria, che in grembo a morte.

E tu per certo, o mio pensier, tu solo
Vitale ai giorni miei [28],
Cagion diletta d'infiniti affanni,
Meco sarai per morte a un tempo spento: 120
Ch'a vivi segni dentro l'alma io sento
Che in perpetuo signor dato mi sei.
Altri gentili inganni [29]
Soleami il vero aspetto
Più sempre infievolir. Quanto più torno 125
A riveder colei
Della qual teco ragionando io vivo,
Cresce quel gran diletto,
Cresce quel gran delirio, ond'io respiro [30].
Angelica beltade! 130
Parmi ogni più bel volto, ovunque io miro,
Quasi una finta imago [31]
Il tuo volto imitar. Tu sola fonte
D'ogni altra leggiadria,
Sola vera beltà parmi che sia. 135

Da che ti vidi pria,
Di qual mia seria cura ultimo obbietto [32]
Non fosti tu? quanto del giorno è scorso,
Ch'io di te non pensassi? ai sogni miei
La tua sovrana imago 140
Quante volte mancò? Bella qual sogno,
Angelica sembianza,
Nella terrena stanza [33],

27. Ma, fra tutte le belle illusioni, tu hai natura divina, tale da resistere al vero o addirittura prenderne le apparenze.
28. Capace di dar vita ai miei giorni.
29. Intendi: la vista della donna vera era solita affievolire l'incanto ingannevole da essa suscitato. Ora invece ecc.
30. In virtù del quale io vivo.
31. Come se fosse una figura dipinta. Soggetto è *ogni più bel volto*.
32. Oggetto, scopo.
33. Dimora; in terra.

Nell'alte vie dell'universo intero,
Che chiedo io mai, che spero 145
Altro che gli occhi tuoi veder più vago [34]?
Altro più dolce aver che il tuo pensiero?

34. Bello, caro; *il tuo pensiero*: il pensiero di te.

XXVII

AMORE E MORTE[1]

῞Ον οἱ θεοὶ φιλοῦσιν, ἀποθνήσκει νέος.

Muor giovane colui ch'al cielo è caro.

MENANDRO

Fratelli, a un tempo stesso, Amore e Morte
Ingenerò la sorte.
Cose quaggiù sì belle
Altre il mondo non ha, non han le stelle.
Nasce dall'uno il bene, 5
Nasce il piacer maggiore
Che per lo mar dell'essere[2] si trova;
L'altra ogni gran dolore,
Ogni gran male annulla.
Bellissima fanciulla[3], 10
Dolce a veder, non quale
La si dipinge la codarda gente,
Gode il fanciullo Amore
Accompagnar sovente;
E sorvolano insiem la via mortale, 15
Primi conforti d'ogni saggio core.
Né cor fu mai più saggio
Che[4] percosso d'amor, né mai più forte
Sprezzò l'infausta vita,
Né per altro signore 20
Come per questo a perigliar[5] fu pronto:
Ch'ove tu porgi aita,
Amor, nasce il coraggio,
O si ridesta; e sapiente in opre,

1. Strofe libere di endecasillabi e settenari. Per la datazione, cfr. la n. 1 al canto precedente, di cui questo è presumibilmente di poco posteriore.
2. Nell'universo: espressione dantesca.
3. La morte.
4. Che quando. *Forte*: avverbio: fortemente
5. Ad affrontare pericoli. *Aita*: aiuto.

Non in pensiero invan, siccome suole 25
Divien l'umana prole.

Quando novellamente [6]
Nasce nel cor profondo
Un amoroso affetto,
Languido e stanco insiem con esso in petto 30
Un desiderio di morir si sente:
Come, non so: ma tale
D'amor vero e possente è il primo effetto.
Forse gli occhi spaura
Allor questo deserto [7]: a sé la terra 35
Forse il mortale inabitabil fatta
Vede omai senza quella
Nova, sola, infinita
Felicità che il suo pensier figura:
Ma per cagion di lei grave procella 40
Presentendo in suo cor, brama quiete,
Brama raccorsi in porto [8]
Dinanzi al fier disio,
Che già, rugghiando, intorno intorno oscura [9].

Poi, quando tutto avvolge 45
La formidabil possa,
E fulmina nel cor l'invitta cura [10],
Quante volte implorata
Con desiderio intenso,
Morte, sei tu dall'affannoso amante! 50
Quante la sera, e quante
Abbandonando all'alba il corpo stanco,
Sé beato chiamò s'indi [11] giammai
Non rilevasse il fianco,
Né tornasse a veder l'amara luce! 55
E spesso al suon della funebre squilla,
Al canto che conduce
La gente morta al sempiterno obblio,

6. Non appena che; *nel cor profondo*: nel profondo del cuore; così al v. 60, *dall'imo petto*.
7. Il deserto della vita.
8. Raccogliersi, trovar rifugio nel porto, come dirà dopo, della morte.
9. Copre ogni luogo di oscurità.
10. L'affanno invincibile dell'amore. *Formidabil*: conserva il suo valore etimologico, "che suscita sgomento".
11. Di lì, dal letto.

Con più sospiri ardenti
Dall'imo petto invidiò colui 60
Che tra gli spenti ad abitar sen giva [12].
Fin la negletta plebe,
L'uom della villa [13], ignaro
D'ogni virtù che da saper deriva,
Fin la donzella timidetta e schiva, 65
Che già di morte al nome
Sentì rizzar le chiome,
Osa alla tomba, alle funeree bende
Fermar [14] lo sguardo di costanza pieno,
Osa ferro e veleno 70
Meditar lungamente,
E nell'indotta mente
La gentilezza [15] del morir comprende.
Tanto alla morte inclina
D'amor la disciplina [16]. Anco sovente, 75
A tal venuto il gran travaglio interno [17]
Che sostener nol può forza mortale,
O cede il corpo frale
Ai terribili moti, e in questa forma
Per fraterno poter Morte prevale [18]; 80
O così sprona Amor là nel profondo,
Che da se stessi il villanello ignaro,
La tenera donzella
Con la man violenta
Pongon le membra giovanili in terra [19]. 85
Ride ai lor casi il mondo,
A cui pace e vecchiezza il ciel consenta.

Ai fervidi, ai felici,
Agli animosi ingegni
L'uno o l'altro di voi [20] conceda il fato, 90
Dolci signori, amici
All'umana famiglia,

12. Andava.
13. Il contadino.
14. Fissare.
15. La superiore bellezza della morte.
16. Tanto l'insegnamento dell'amore rende inclini a desiderare la morte.
17. Quando l'affanno è venuto a tal punto.
18. Vince per l'effetto ultimo del potere esercitato dal fratello amore.
19. Si uccidono.
20. Amore o Morte.

Al cui poter nessun poter somiglia
Nell'immenso universo, e non l'avanza [21],
Se non quella del fato, altra possanza. 95
E tu, cui già dal cominciar degli anni
Sempre onorata invoco,
Bella Morte, pietosa
Tu sola al mondo dei terreni affanni,
Se celebrata mai 100
Fosti da me, s'al tuo divino stato [22]
L'onte del volgo ingrato
Ricompensar tentai,
Non tardar più, t'inchina
A disusati preghi [23], 105
Chiudi alla luce omai
Questi occhi tristi, o dell'età reina [24].
Me certo troverai, qual si sia l'ora
Che tu le penne [25] al mio pregar dispieghi,
Erta la fronte, armato, 110
E renitente al fato [26],
La man che flagellando si colora
Nel mio sangue innocente
Non ricolmar [27] di lode,
Non benedir, com'usa 115
Per antica viltà l'umana gente;
Ogni vana speranza onde consola
Sé coi fanciulli [28] il mondo,
Ogni conforto stolto
Gittar da me; null'altro in alcun tempo 120
Sperar, se non te sola;
Solo aspettar sereno
Quel dì ch'io pieghi addormentato il volto
Nel tuo virgineo seno.

21. E non lo supera nessun altro potere, se non quello del fato.
22. Natura divina: dipende da *ricompensar*.
23. A preghiere che, come queste, nessuno osa rivolgerti.
24. Regina del tempo.
25. Le ali.
26. In atto di chi contrasta il destino. *La man*: quella, appunto, del fato.
27. Questo, come gli infiniti che seguono, va unito a *Me certo troverai* del v. 108.
28. Con cui il mondo si consola, come fanno i fanciulli.

XXVIII

A SE STESSO [1]

Or poserai per sempre,
Stanco mio cor. Perì l'inganno estremo [2],
Ch'eterno io mi credei. Perì. Ben sento,
In noi di cari inganni,
Non che la speme, il desiderio è spento. 5
Posa per sempre. Assai [3]
Palpitasti. Non val cosa nessuna
I moti tuoi, né di sospiri è degna
La terra. Amaro e noia
La vita, altro mai nulla; e fango è il mondo. 10
T'acqueta omai. Dispera
L'ultima volta. Al gener nostro il fato
Non donò che il morire. Omai disprezza
Te, la natura, il brutto
Poter [4] che, ascoso, a comun danno impera, 15
E l'infinita vanità del tutto.

1. Strofa libera di endecasillabi e settenari. Con il canto seguente, chiude il ciclo di Aspasia, e va assegnato agli anni fra il '33 e il '35, presumibilmente vicino alla seconda data.
2. Ultimo: l'amore per Aspasia; e, con esso, ogni altra illusione.
3. Abbastanza; o, anche, "troppo".
4. Non è apposizione di *natura* ma anch'esso, come *te, natura* e *vanità*, complemento oggetto dell'imperativo *disprezza*: e indica la legge misteriosa che, governando occulta l'universo, lo indirizza a un fine che è male per ogni creatura.

XXIX

ASPASIA [1]

Torna dinanzi al mio pensier talora
Il tuo sembiante, Aspasia. O fuggitivo [2]
Per abitati lochi a me lampeggia
In altri volti; o per deserti campi,
Al dì sereno, alle tacenti stelle, 5
Da soave armonia quasi ridesta,
Nell'alma a sgomentarsi ancor vicina
Quella superba vision risorge.
Quanto adorata, o numi, e quale un giorno
Mia delizia ed erinni [3]! E mai non sento 10
Mover profumo di fiorita piaggia,
Né di fiori olezzar vie cittadine,
Ch'io non ti vegga ancor qual eri il giorno
Che ne' vezzosi appartamenti accolta,
Tutti odorati de' novelli fiori 15
Di primavera, del color vestita
Della bruna viola, a me si offerse
L'angelica tua forma [4], inchino il fianco
Sovra nitide pelli, e circonfusa
D'arcana voluttà; quando tu, dotta [5] 20
Allettatrice, fervidi sonanti
Baci scoccavi nelle curve labbra
De' tuoi bambini, il niveo collo intanto
Porgendo, e lor di tue cagioni [6] ignari

1. Endecasillabi sciolti; per la datazione, cfr. la n. 1 al canto precedente. Sotto il nome di Aspasia (l'etéra amata da Pericle) si cela Fanny Targioni Tozzetti.
2. Con valore avverbiale: fuggevolmente.
3. Tormento.
4. Lat., bellezza.
5. Maliziosa, esperta.
6. Delle intenzioni con cui compivi quei gesti.

Con la man leggiadrissima stringevi 25
Al seno ascoso e desiato. Apparve
Novo ciel, nova terra, e quasi un raggio
Divino al pensier mio. Così nel fianco
Non punto inerme [7] a viva forza impresse
Il tuo braccio lo stral, che poscia fitto 30
Ululando portai finch'a quel giorno
Si fu due volte ricondotto il sole [8].

Raggio divino al mio pensiero apparve,
Donna, la tua beltà. Simile effetto
Fan la bellezza e i musicali accordi, 35
Ch'alto mistero d'ignorati Elisi [9]
Paion sovente rivelar. Vagheggia
Il piagato mortal quindi la figlia
Della sua mente, l'amorosa idea [10],
Che gran parte d'Olimpo in sé racchiude, 40
Tutta al volto ai costumi alla favella
Pari alla donna che il rapito amante
Vagheggiare ed amar confuso estima.
Or questa egli non già, ma quella [11], ancora
Nei corporali amplessi, inchina ed ama. 45
Alfin l'errore e gli scambiati oggetti
Conoscendo, s'adira; e spesso incolpa
La donna a torto. A quella eccelsa imago
Sorge di rado il femminile ingegno [12];
E ciò che inspira ai generosi amanti 50
La sua stessa beltà, donna non pensa
Né comprender potria. Non cape [13] in quelle
Anguste fronti ugual concetto. E male

7. Nel cuore non certo disarmato. L'immagine dello strale è metafora, ovviamente, della passione amorosa. *Impresse*: conficcò.
8. Per due anni.
9. Paradisi.
10. Intendi: l'uomo ferito dalla piaga di amore da allora in poi (*quindi*) vagheggia non la donna reale, bensì l'idea che la sua immaginazione, mossa e ispirata da quella bellezza, ha cristallizzato, tale da incarnare ogni beatitudine (*Olimpo*), e simile in tutto, come una copia, alla donna che ne ha dato l'occasione: e l'amante appunto confonde e scambia l'una cosa con l'altra.
11. Non la donna reale, ma l'amorosa idea egli riverisce (*inchina*) ed ama, persino (*ancora*) nei *corporali amplessi*.
12. Lat., anima, natura.
13. Non c'è posto in quelle ristrette menti per un'immagine così alta quale la donna stessa ha pure suscitato.

Al vivo sfolgorar di quegli sguardi
Spera l'uomo ingannato, e mal richiede 55
Sensi profondi, sconosciuti, e molto
Più che virili, in chi dell'uomo al tutto
Da natura [14] è minor. Che se più molli
E più tenui le membra, essa la mente
Men capace e men forte anco riceve. 60

Né tu finor giammai quel che tu stessa
Inspirasti alcun tempo al mio pensiero,
Potesti, Aspasia, immaginar. Non sai
Che smisurato amor, che affanni intensi,
Che indicibili moti e che deliri 65
Movesti in me; né verrà tempo alcuno
Che tu l'intenda. In simil guisa ignora
Esecutor di musici concenti
Quel ch'ei con mano o con la voce adopra [15]
In chi l'ascolta. Or quell'Aspasia è morta 70
Che tanto amai. Giace per sempre, oggetto
Della mia vita un dì: se non se quanto [16],
Pur come cara larva, ad ora ad ora
Tornar costuma e disparir. Tu vivi,
Bella non solo ancor, ma bella tanto, 75
Al parer mio, che tutte l'altre avanzi.
Pur quell'ardor che da te nacque è spento:
Perch'io te non amai, ma quella Diva
Che già vita, or sepolcro, ha nel mio core.
Quella adorai gran tempo; e sì mi piacque 80
Sua celeste beltà, ch'io per insino [17]
Già dal principio conoscente e chiaro
Dell'esser tuo, dell'arti e delle frodi,
Pur ne' tuoi contemplando i suoi begli occhi,
Cupido ti seguii finch'ella visse, 85
Ingannato non già, ma dal piacere
Di quella dolce somiglianza un lungo
Servaggio ed aspro a tollerar condotto.

14. Per natura.
15. Opera.
16. Se non in quanto usa tornare e sparire, ma ormai solo (*pur*) come ombra, sogno.
17. Perfino; pur essendo fin dall'inizio consapevole di ciò che sei realmente.

Or ti vanta, che il puoi. Narra che sola
Sei del tuo sesso a cui piegar sostenni [18] 90
L'altero capo, a cui spontaneo porsi
L'indomito mio cor. Narra che prima,
E spero ultima certo, il ciglio mio
Supplichevol vedesti, a te dinanzi
Me timido, tremante (ardo in ridirlo 95
Di sdegno e di rossor), me di me privo,
Ogni tua voglia, ogni parola, ogni atto
Spiar sommessamente, a' tuoi superbi
Fastidi [19] impallidir, brillare in volto
Ad un segno cortese, ad ogni sguardo 100
Mutar forma e color. Cadde l'incanto,
E spezzato con esso, a terra sparso
Il giogo: onde m'allegro. E sebben pieni [20]
Di tedio, alfin dopo il servire e dopo
Un lungo vaneggiar, contento abbraccio 105
Senno con libertà. Che se d'affetti
Orba [21] la vita, e di gentili errori,
È notte senza stelle a mezzo il verno,
Già del fato mortale a me bastante
E conforto e vendetta è che su l'erba 110
Qui neghittoso immobile giacendo,
Il mar la terra e il ciel miro e sorrido.

18. Tollerai di piegare.
19. Segni di fastidio.
20. Concorda con *senno* e *libertà* del v. 106.
21. Priva. Costruisci: se la vita, priva di affetti e nobili illusioni, è come una notte ecc.

XXX

SOPRA
UN BASSO RILIEVO ANTICO SEPOLCRALE,

DOVE UNA GIOVANE MORTA
È RAPPRESENTATA IN ATTO DI PARTIRE,
ACCOMIATANDOSI DAI SUOI [1]

Dove vai? chi ti chiama?
Lunge dai cari tuoi,
Bellissima donzella?
Sola, peregrinando, il patrio tetto
Sì per tempo abbandoni? a queste soglie 5
Tornerai tu? farai tu lieti un giorno
Questi ch'oggi ti son piangendo intorno?

Asciutto il ciglio ed animosa in atto,
Ma pur mesta sei tu. Grata la via
O dispiacevol sia, tristo il ricetto [2] 10
A cui movi o giocondo,
Da quel tuo grave aspetto
Mal s'indovina. Ahi ahi, né già potria
Fermare [3] io stesso in me, né forse al mondo
S'intese ancor, se in disfavore al cielo 15
Se cara [4] esser nomata,
Se misera tu debbi o fortunata.

Morte ti chiama; al cominciar del giorno [5]
L'ultimo istante. Al nido onde ti parti [6],
Non tornerai. L'aspetto 20
De' tuoi dolci parenti
Lasci per sempre. Il loco

1. Strofe libere di endecasillabi e settenari. Composto, come il seguente, fra il '31 e il '35, ma probabilmente durante il periodo napoletano, nel '34-'35.
2. Il luogo che ti accoglierà.
3. Stabilire.
4. Intendi, al cielo.
5. Della vita.
6. Al nido da cui ti allontani. *Aspetto*: vista.

A cui movi, è sotterra:
Ivi fia d'ogni tempo il tuo soggiorno.
Forse beata sei; ma pur chi mira, 25
Seco pensando, al tuo destin, sospira.

Mai non veder la luce
Era, credo, il miglior [7]. Ma nata, al tempo
Che reina bellezza si dispiega
Nelle membra e nel volto 30
Ed incomincia il mondo
Verso lei di lontano ad atterrarsi [8];
In sul fiorir d'ogni speranza, e molto
Prima che incontro alla festosa fronte
I lugubri suoi lampi il ver baleni; 35
Come vapore in nuvoletta accolto [9]
Sotto forme fugaci all'orizzonte,
Dileguarsi così quasi non sorta,
E cangiar con gli oscuri
Silenzi della tomba i dì futuri, 40
Questo se all'intelletto
Appar felice, invade
D'alta pietade ai più costanti [10] il petto.

Madre temuta e pianta
Dal nascer già dell'animal famiglia [11], 45
Natura, illaudabil maraviglia,
Che per uccider partorisci e nutri,
Se danno è del mortale
Immaturo perir, come il consenti
In quei capi innocenti? 50
Se ben, perché funesta,
Perché sovra ogni male,
A chi si parte, a chi rimane in vita,
Inconsolabil fai tal dipartita?

Misera ovunque miri, 55

7. La cosa migliore.
8. Inchinarsi.
9. Addensato.
10. Persino a chi è più forte davanti alle sciagure. *Alta*: profonda.
11. Madre delle creature viventi (*animal famiglia*), oggetto di timore e causa di pianto fin dalla loro nascita. *Natura*: vocativo.

Misera onde [12] si volga, ove ricorra,
Questa sensibil prole!
Piacqueti che delusa
Fosse ancor dalla vita [13]
La speme giovanil; piena d'affanni 60
L'onda degli anni; ai mali unico schermo
La morte; e questa inevitabil segno [14],
Questa, immutata legge
Ponesti all'uman corso. Ahi perché dopo
Le travagliose strade, almen la meta 65
Non ci prescriver lieta? anzi colei [15]
Che per certo futura
Portiam sempre, vivendo, innanzi all'alma,
Colei che i nostri danni
Ebber solo conforto, 70
Velar di neri panni,
Cinger d'ombra sì trista,
E spaventoso in vista [16]
Più d'ogni flutto dimostrarci il porto?

Già se sventura è questo 75
Morir che tu destini
A tutti noi che senza colpa, ignari,
Né volontari al vivere abbandoni,
Certo ha chi more invidiabil sorte
A colui che [17] la morte 80
Sente de' cari suoi. Che se nel vero,
Com'io per fermo estimo,
Il vivere è sventura,
Grazia il morir, chi però mai potrebbe,
Quel che pur si dovrebbe, 85
Desiar de' suoi cari il giorno estremo,
Per dover egli scemo
Rimaner di se stesso [18],
Veder d'in su la soglia levar via

12. Da qualsiasi parte. *Sensibil prole*: le creature animate, gli esseri dotati di senso.
13. Anche dalla vita, e non solo dalla morte.
14. Costruisci: e hai posto questa (la morte) come meta inevitabile, legge immutabile al viaggio dell'uomo.
15. La morte.
16. A vedersi.
17. Degna di invidia da parte di chi. *Nel vero*: veramente.
18. Privato di sé.

La diletta persona 90
Con chi [19] passato avrà molt'anni insieme,
E dire a quella addio senz'altra speme
Di riscontrarla ancora
Per la mondana via [20];
Poi solitario abbandonato in terra, 95
Guardando attorno, all'ore ai lochi usati
Rimemorar la scorsa compagnia?
Come, ahi come, o natura, il cor ti soffre
Di strappar dalle braccia
All'amico l'amico, 100
Al fratello il fratello,
La prole al genitore,
All'amante l'amore: e l'uno estinto,
L'altro in vita serbar? Come potesti
Far necessario in noi 105
Tanto dolor, che sopravviva amando
Al mortale il mortal? Ma da natura [21]
Altro negli atti suoi
Che nostro male o nostro ben si cura.

19. Con cui.
20. Il cammino della vita; nel mondo.
21. Da parte della natura: dipende dall'impersonale *si cura* del v. 109.

XXXI

SOPRA IL RITRATTO
DI UNA BELLA DONNA

SCOLPITO NEL MONUMENTO SEPOLCRALE
DELLA MEDESIMA [1]

Tal [2] fosti: or qui sotterra
Polve e scheletro sei. Su l'ossa e il fango
Immobilmente collocato invano,
Muto, mirando dell'etadi il volo,
Sta, di memoria solo 5
E di dolor custode, il simulacro [3]
Della scorsa beltà. Quel dolce sguardo,
Che tremar fe', se, come or sembra, immoto
In altrui s'affisò; quel labbro, ond'alto [4]
Par, come d'urna piena, 10
Traboccare il piacer; quel collo, cinto
Già di desio [5]; quell'amorosa mano,
Che spesso, ove fu porta,
Sentì gelida far la man che strinse;
E il seno, onde [6] la gente 15
Visibilmente di pallor si tinse,
Furo alcun tempo: or fango
Ed ossa sei: la vista
Vituperosa e trista un sasso asconde.

Così riduce il fato 20
Qual [7] sembianza fra noi parve più viva
Immagine del ciel. Misterio eterno

1. Strofe libere di endecasillabi e settenari. Per la datazione, cfr. la n. 1 al canto precedente.
2. Quale sei raffigurata nel ritratto.
3. L'effigie; il ritratto, appunto.
4. Costruisci: da cui sembra traboccare profondo (*alto*) il piacere.
5. Intendi: contemplato da tanti con desiderio, quasi circondato dal loro sguardo.
6. Per il quale.
7. Qualsiasi.

Dell'esser nostro. Oggi d'eccelsi, immensi
Pensieri e sensi inenarrabil fonte,
Beltà grandeggia, e pare, 25
Quale splendor vibrato
Da natura immortal su queste arene [8],
Di sovrumani fati,
Di fortunati regni e d'aurei mondi
Segno e sicura spene 30
Dare al mortale stato:
Diman, per lieve forza [9],
Sozzo a vedere, abominoso, abbietto
Divien quel che fu dianzi
Quasi angelico aspetto, 35
E dalle menti insieme [10]
Quel che da lui moveva
Ammirabil concetto, si dilegua.

Desiderii infiniti
E visioni altere [11] 40
Crea nel vago pensiere,
Per natural virtù, dotto concento [12];
Onde per mar delizioso, arcano
Erra lo spirto umano,
Quasi come a diporto 45
Ardito notator per l'Oceano:
Ma se un discorde accento
Fere l'orecchio, in nulla
Torna quel paradiso in un momento.

Natura umana, or come, 50
Se frale in tutto e vile,
Se polve ed ombra sei, tant'alto senti?
Se in parte anco gentile [13],
Come i più degni tuoi moti e pensieri
Son così di leggeri 55
Da sì basse cagioni e desti e spenti [14]?

8. Come un raggio vibrato da un essere divino sul deserto della vita.
9. Per una violenza anche minima che ne determina la fine.
10. Costruisci: e insieme si dilegua dall'animo quell'immagine meravigliosa che si generava da esso.
11. Elevate.
12. Armonia ordita sapientemente.
13. Se anche in parte sei nobile (e non *frale in tutto e vile*).
14. Destati e spenti dal fiorire e dallo sfiorire della bellezza.

XXXII

PALINODIA

AL MARCHESE GINO CAPPONI [1]

Il sempre sospirar nulla rileva.

PETRARCA

Errai, candido [2] Gino; assai gran tempo
E di gran lunga errai. Misera e vana
Stimai la vita, e sopra l'altre insulsa
La stagion ch'or si volge. Intolleranda
Parve, e fu, la mia lingua alla beata 5
Prole mortal, se dir si dee mortale
L'uomo, o si può. Fra maraviglia e sdegno,
Dall'Eden odorato in cui soggiorna,
Rise l'alta progenie, e me negletto
Disse, o mal venturoso [3], e di piaceri 10
O incapace o inesperto, il proprio fato
Creder comune, e del mio mal consorte
L'umana specie. Alfin per entro il fumo
De' sigari onorato [4] al romorio
De' crepitanti pasticcini, al grido 15
Militar, di gelati e di bevande
Ordinator, fra le percosse tazze
E i branditi cucchiai, viva rifulse
Agli occhi miei la giornaliera luce
Delle gazzette. Riconobbi e vidi 20
La pubblica letizia, e le dolcezze

1. Endecasillabi sciolti. Composto a Napoli fra il '34 e il '35. Il Leopardi finge una ritrattazione (*palinodia*) del pessimismo materialistico che improntava il suo pensiero, svolgendo in realtà una corrosiva satira dei miti cui si ispirava la cultura cattolico-liberale. Il Capponi era tra i principali esponenti del circolo fiorentino che si raccoglieva intorno all'"Antologia", la rivista diretta dal Vieusseux.
2. Fiducioso, ottimista. *Assai*: abbastanza, troppo.
3. Sventurato; *proprio*: mio proprio.
4. Con valore attivo: che onora. Le dispute al caffè sono descritte con sarcastica intonazione epica: come entro il fumo di una battaglia, crepitano pasticcini, si brandiscono cucchiai, ecc.

Del destino mortal. Vidi l'eccelso
Stato e il valor delle terrene cose,
E tutto fiori il corso umano, e vidi
Come nulla quaggiù dispiace e dura [5]. 25
Né men conobbi ancor gli studi e l'opre
Stupende, e il senno, e le virtudi, e l'alto
Saver del secol mio. Né vidi meno
Da Marrocco al Catai, dall'Orse al Nilo,
E da Boston a Goa [6], correr dell'alma 30
Felicità su l'orme a gara ansando
Regni, imperi e ducati; e già tenerla
O per le chiome fluttuanti, o certo
Per l'estremo del boa [7]. Così vedendo,
E meditando sovra i larghi fogli 35
Profondamente, del mio grave, antico
Errore, e di me stesso, ebbi vergogna.

Aureo secolo omai volgono, o Gino,
I fusi delle Parche [8]. Ogni giornale,
Gener vario di lingue e di colonne, 40
Da tutti i lidi lo promette al mondo
Concordemente. Universale amore,
Ferrate vie, moltiplici commerci,
Vapor, tipi [9] e *choléra* i più divisi
Popoli e climi stringeranno insieme: 45
Né maraviglia fia se pino o quercia
Suderà latte e miele [10], o s'anco al suono
D'un *walser* danzerà. Tanto la possa
Infin qui de' lambicchi e delle storte,
E le macchine al cielo emulatrici [11] 50
Crebbero, e tanto cresceranno al tempo

5. Riprende e rovescia un verso petrarchesco « come nulla qua giù diletta e dura » (*Rime*, CCXI, 14), sottolineando iperbolicamente l'ottimismo dei liberali. *Studi*: lat., occupazioni.
6. Da occidente a oriente, da Nord a Sud, dall'America all'India. *Alma*: che dà vita.
7. Pelliccia: cfr., in *Appendice*, la nota dell'Autore a questo canto. I *larghi fogli* sono, ovviamente, le gazzette.
8. Le Parche tessono il filo della vita di una felice generazione: è una reminiscenza (ne seguiranno altre) dell'ecloga IV di Virgilio, a sottolineare l'intenzione satirica.
9. Caratteri tipografici: la stampa. *Choléra*: nel '32 in Francia era scoppiata un'epidemia, che difatti nel '36 giungerà in Italia.
10. Miele: come, appunto, nell'età dell'oro.
11. Che gareggiano con la potenza divina.

Che seguirà; poiché di meglio in meglio
Senza fin vola e volerà mai sempre
Di Sem, di Cam e di Giapeto il seme [12].

Ghiande non ciberà certo la terra 55
Però, se fame non la sforza [13]: il duro
Ferro non deporrà. Ben molte volte
Argento ed or disprezzerà, contenta
A polizze di cambio. E già dal caro
Sangue de' suoi non asterrà la mano 60
La generosa stirpe: anzi coverte
Fien di stragi l'Europa e l'altra riva [14]
Dell'atlantico mar, fresca nutrice
Di pura civiltà, sempre che [15] spinga
Contrarie in campo le fraterne schiere 65
Di pepe o di cannella o d'altro aroma
Fatal cagione o di melate canne,
O cagion qual si sia ch'ad auro torni [16].
Valor vero e virtù, modestia e fede
E di giustizia amor, sempre in qualunque 70
Pubblico stato, alieni in tutto e lungi
Da' comuni negozi [17], ovvero in tutto
Sfortunati saranno, afflitti e vinti;
Perché diè lor natura, in ogni tempo
Starsene in fondo. Ardir protervo e frode, 75
Con mediocrità, regneran sempre,
A galleggiar sortiti [18]. Imperio e forze,
Quanto più vogli o cumulate o sparse,
Abuserà chiunque avralle [19], e sotto

12. L'intera umanità, in tutte le sue razze. *Mai sempre*: sempre.
13. Non per questo (*però*) l'uomo (*la terra*) tornerà a cibarsi, come nell'età dell'oro, di ghiande. E se rinuncerà ad oro e argento, sarà per sostituirli con polizze, carta moneta e cambiali.
14. L'America.
15. Ogni volta che. Allusione alle guerre coloniali: la cui *fatal cagione* consiste semplicemente nella volontà di sfruttare le terre ricche di merci pregiate (*melate canne*: canna da zucchero); ed intanto in Europa si parla di fraternità universale e felicità pubblica.
16. Che si risolva in ambizione di guadagno.
17. Saranno costretti ad astenersi dalla vita pubblica.
18. Destinati a dominare.
19. Chiunque avrà potere, ne abuserà, tanto che esso sia accentrato dispoticamente (governo assoluto) quanto invece distribuito fra molti (governo costituzionale): e questa legge fu da sempre scolpita nel diamante dalla natura.

Qualunque nome. Questa legge in pria 80
Scrisser natura e il fato in adamante;
E co' fulmini suoi Volta né Davy [20]
Lei non cancellerà, non Anglia tutta
Con le macchine sue, né con un Gange [21]
Di politici scritti il secol novo. 85
Sempre il buono in tristezza, il vile in festa
Sempre e il ribaldo: incontro all'alme eccelse
In arme tutti congiurati i mondi
Fieno in perpetuo: al vero onor seguaci [22]
Calunnia, odio e livor: cibo de' forti 90
Il debole, cultor [23] de' ricchi e servo
Il digiuno mendico, in ogni forma
Di comun reggimento, o presso o lungi
Sien l'eclittica [24] o i poli, eternamente
Sarà, se al gener nostro il proprio albergo 95
E la face del dì non vengon meno [25].

Queste lievi reliquie e questi segni
Delle passate età, forza è che impressi
Porti quella che sorge età dell'oro [26]:
Perché mille discordi e repugnanti 100
L'umana compagnia principii e parti
Ha per natura; e por quegli odii in pace
Non valser gl'intelletti e le possanze
Degli uomini giammai, dal dì che nacque
L'inclita [27] schiatta, e non varrà, quantunque 105
Saggio sia né possente, al secolo nostro
Patto [28] alcuno o giornal. Ma nelle cose
Più gravi, intera, e non veduta innanzi,
Fia la mortal felicità. Più molli

20. Intendi: con le loro scoperte nel campo dell'elettricità. *Anglia*: l'Inghilterra; e intende la civiltà industriale in genere.
21. Un fiume, una quantità enorme.
22. Per dire "persecutori".
23. Costretto a corteggiare e adulare.
24. La zona torrida; in realtà l'eclittica designa l'orbita tracciata dal centro della terra girando intorno al sole.
25. Finché non cesseranno di esistere la terra (*albergo*: sede) e il sole.
26. Questa nuova età dell'oro sarà necessariamente segnata da tali tracce del passato. Poiché la società (*l'umana compagnia*) è costituita di membri in perpetua lotta fra di loro.
27. Gloriosa.
28. Costituzione.

Di giorno in giorno diverran le vesti 110
O di lana o di seta. I rozzi panni
Lasciando a prova [29] agricoltori e fabbri,
Chiuderanno in coton la scabra pelle,
E di castoro copriran le schiene.
Meglio fatti al bisogno, o più leggiadri 115
Certamente a veder, tappeti e coltri,
Seggiole, canapè, sgabelli e mense,
Letti, ed ogni altro arnese, adorneranno
Di lor menstrua [30] beltà gli appartamenti;
E nove forme di paiuoli, e nove 120
Pentole ammirerà l'arsa cucina.
Da Parigi a Calais, di quivi a Londra,
Da Londra a Liverpool, rapido tanto
Sarà, quant'altri immaginar non osa,
Il cammino, anzi il volo: e sotto l'ampie 125
Vie del Tamigi fia dischiuso il varco [31],
Opra ardita, immortal, ch'esser dischiuso
Dovea, già son molt'anni. Illuminate
Meglio ch'or son, benché sicure al pari,
Nottetempo saran le vie men trite [32] 130
Delle città sovrane, e talor forse
Di suddita città le vie maggiori [33].
Tali dolcezze e sì beata sorte
Alla prole vegnente il ciel destina.

Fortunati color che mentre io scrivo 135
Miagolanti in su le braccia accoglie
La levatrice! a cui veder s'aspetta [34]
Quei sospirati dì, quando per lunghi
Studi fia noto, e imprenderà col latte [35]
Dalla cara nutrice ogni fanciullo, 140
Quanto peso di sal, quanto di carni,
E quante moggia di farina inghiotta

29. A gara.
30. Destinata a vivere un mese: di poca durata, perché soggetta alla moda.
31. Il tunnel sotto il Tamigi, iniziato nel 1802 e terminato dopo la morte del L.
32. Le vie meno frequentate delle città principali.
33. Le strade più importanti delle città secondarie.
34. È riservato.
35. Imparerà fin da bambino: tanto saranno diffusi gli studi di statistica.

Il patrio borgo in ciascun mese; e quanti
In ciascun anno partoriti e morti
Scriva il vecchio prior [36]: quando, per opra 145
Di possente vapore, a milioni
Impresse [37] in un secondo, il piano e il poggio,
E credo anco del mar gl'immensi tratti,
Come d'aeree gru stuol che repente
Alle late campagne il giorno involi [38], 150
Copriran le gazzette, anima e vita
Dell'universo, e di savere a questa
Ed alle età venture unica fonte!

Quale un fanciullo, con assidua cura,
Di fogliolini e di fuscelli, in forma 155
O di tempio o di torre o di palazzo,
Un edificio innalza; e come prima
Fornito il mira, ad atterrarlo è volto [39],
Perché gli stessi a lui fuscelli e fogli
Per novo lavorio son di mestieri [40]; 160
Così natura ogni opra sua, quantunque
D'alto artificio a contemplar [41], non prima
Vede perfetta, ch'a disfarla imprende,
Le parti sciolte dispensando [42] altrove.
E indarno a preservar se stesso ed altro 165
Dal gioco reo, la cui ragion gli è chiusa
Eternamente, il mortal seme accorre
Mille virtudi oprando in mille guise
Con dotta [43] man: che, d'ogni sforzo in onta,
La natura crudel, fanciullo invitto, 170
Il suo capriccio adempie, e senza posa
Distruggendo e formando si trastulla.
Indi [44] varia, infinita una famiglia
Di mali immedicabili e di pene

36. I parroci avevano allora il compito di tenere il registro di stato civile.
37. Va unito al soggetto *le gazzette* del v. 151.
38. Copra la luce del sole. *Aeree*: che volano in alto.
39. Non appena lo vede finito (*fornito*), si dà subito a disfarlo.
40. Necessari.
41. Per quanto appaia meravigliosamente costruita a chi la osservi. *Perfetta*: compiuta.
42. Destinando.
43. Abile, esperta.
44. Di qui, da questo incessante moto di creazione e distruzione.

Preme il fragil mortale, a perir fatto 175
Irreparabilmente: indi una forza
Ostil, distruggitrice, e dentro il fere [45]
E di fuor da ogni lato, assidua, intenta
Dal dì che nasce; e l'affatica e stanca,
Essa indefatigata [46]; insin ch'ei giace 180
Alfin dall'empia madre oppresso e spento.
Queste, o spirto gentil [47], miserie estreme
Dello stato mortal; vecchiezza e morte,
Ch'han principio d'allor che il labbro infante
Preme il tenero sen che vita instilla; 185
Emendar, mi cred'io, non può la lieta
Nonadecima età [48] più che potesse
La decima o la nona, e non potranno
Più di questa giammai l'età future.
Però [49], se nominar lice talvolta 190
Con proprio nome il ver, non altro in somma
Fuor che infelice, in qualsivoglia tempo,
E non pur ne' civili ordini e modi,
Ma della vita in tutte l'altre parti,
Per essenza insanabile, e per legge 195
Universal, che terra e cielo abbraccia,
Ogni nato sarà. Ma novo [50] e quasi
Divin consiglio ritrovàr gli eccelsi
Spirti del secol mio: che, non potendo
Felice in terra far persona alcuna, 200
L'uomo obbliando, a ricercar si diero
Una comun felicitade; e quella
Trovata agevolmente, essi di molti
Tristi e miseri tutti, un popol fanno
Lieto e felice: e tal portento, ancora 205
Da *pamphlets*, da riviste e da gazzette
Non dichiarato, il civil gregge ammira.

Oh menti, oh senno, oh sovrumano acume
Dell'età ch'or si volge! E che sicuro

45. Lo ferisce, tormenta.
46. Rimanendo essa instancabile.
47. Nobile; ma il vocativo riecheggia l'esordio della canzone petrarchesca *Spirto gentil* (*Rime*, LIII).
48. Il secolo XIX.
49. Perciò.
50. Straordinario; *consiglio*: lat., provvedimento.

Filosofar, che sapienza, o Gino, 210
In più sublimi ancora e più riposti
Subbietti [51] insegna ai secoli futuri
Il mio secolo e tuo! Con che costanza
Quel che ieri schernì [52], prosteso adora
Oggi, e domani abbatterà, per girne 215
Raccozzando i rottami, e per riporlo
Tra il fumo degl'incensi il dì vegnente!
Quanto estimar si dee, che fede inspira
Del secol che si volge, anzi dell'anno,
Il concorde sentir [53]! con quanta cura 220
Convienci a quel dell'anno, al qual difforme
Fia quel dell'altro appresso, il sentir nostro
Comparando, fuggir [54] che mai d'un punto
Non sien diversi! E di che tratto innanzi,
Se al moderno si opponga il tempo antico, 225
Filosofando il saper nostro è scorso [55]!

Un già de' tuoi [56], lodato Gino; un franco
Di poetar maestro, anzi di tutte
Scienze ed arti e facoltadi umane,
E menti che fur mai, sono e saranno, 230
Dottore, emendator [57], lascia, mi disse,
I propri affetti tuoi. Di lor non cura
Questa virile età, volta ai severi
Economici studi, e intenta il ciglio [58]
Nelle pubbliche cose. Il proprio petto 235
Esplorar che ti val? Materia al canto
Non cercar dentro te. Canta i bisogni

51. In argomenti anche più sublimi della politica, dell'economia e della statistica: e intende dire nella religione, alludendo al rinascente spiritualismo che informa la cultura liberale.
52. Nel settecento illuminista; *girne*: andarne.
53. La persuasione concorde.
54. Intendi; quanta attenzione ci costa, confrontando le nostre convinzioni con quelle dominanti (da cui poi a loro volta differiranno le convinzioni generali del prossimo), evitare che esse discordino.
55. Quanto è progredito il nostro sapere filosofico, qualora si raffronti il tempo antico con il moderno.
56. Niccolò Tommaseo, che un tempo (*già*) faceva parte della tua cerchia (ora si trovava a Parigi, in esilio). È nota l'inimicizia astiosa che il Tommaseo nutrì costantemente per il Leopardi.
57. Ordina: maestro di tutte le scienze, arti e discipline ecc., e censore degli animi altrui.
58. Accusativo alla greca: con l'occhio intento.

Del secol nostro, e la matura speme [59].
Memorande sentenze! ond'io solenni
Le risa alzai quando sonava il nome 240
Della speranza al mio profano orecchio
Quasi comica voce, o come un suono
Di lingua che dal latte si scompagni [60].
Or torno addietro, ed al passato un corso
Contrario imprendo [61], per non dubbi esempi 245
Chiaro oggimai ch'al secol proprio vuolsi,
Non contraddir, non repugnar, se lode
Cerchi e fama appo lui, ma fedelmente
Adulando ubbidir: così per breve
Ed agiato cammin vassi alle stelle. 250
Ond'io, degli astri desioso, al canto [62]
Del secolo i bisogni omai non penso
Materia far; che a quelli, ognor crescendo,
Provveggono i mercati e le officine
Già largamente; ma la speme io certo 255
Dirò, la speme, onde visibil pegno [63]
Già concedon gli Dei; già, della nova
Felicità principio, ostenta il labbro
De' giovani, e la guancia, enorme il pelo [64].

O salve, o segno salutare [65], o prima 260
Luce della famosa età che sorge.
Mira dinanzi a te come s'allegra
La terra e il ciel, come sfavilla il guardo
Delle donzelle, e per conviti e feste
Qual de' barbati eroi fama già vola. 265
Cresci, cresci alla patria, o maschia certo
Moderna prole. All'ombra de' tuoi velli
Italia crescerà, crescerà tutta
Dalle foci del Tago all'Ellesponto [66]

59. La speranza ormai vicina al compimento.
60. Come il balbettìo insensato di un bimbo. Anche questo, a sottolineare la satira, è un verso petrarchesco (*Rime*, CCXXV, 88).
61. Intraprendo un cammino contrario a quello passato, essendo ormai persuaso (*chiaro*) che bisogna (*vuolsi*) non contraddire il proprio secolo se si vuol godere gloria (*lode*) e fama presso di lui.
62. Costruisci: non penso di far materia al mio canto i bisogni del secolo.
63. Visibile garanzia della quale.
64. I baffi e la barba; era moda diffusa presso i liberali.
65. Annunciatore di salvezza: appunto, il *pelo* del v. 259.
66. Dalla Spagna ai Dardanelli.

Europa, e il mondo poserà sicuro. 270
E tu comincia a salutar col riso
Gl'ispidi genitori, o prole infante,
Eletta agli aurei dì [67]: né ti spauri
L'innocuo nereggiar de' cari aspetti [68].
Ridi, o tenera prole: a te serbato 275
È di cotanto favellare il frutto;
Veder gioia regnar, cittadi e ville,
Vecchiezza e gioventù del par contente,
E le barbe ondeggiar lunghe due spanne.

67. Scelta dalla sorte a vivere nella nuova età dell'oro.
68. Volti: coperti appunto dalle nere barbe; insegna minacciosa, ma in realtà innocua, del moderatismo liberale.

XXXIII

IL TRAMONTO DELLA LUNA [1]

Quale [2] in notte solinga,
Sovra campagne inargentate ed acque,
Là 've [3] zefiro aleggia,
E mille vaghi aspetti
E ingannevoli obbietti 5
Fingon [4] l'ombre lontane
Infra l'onde tranquille
E rami e siepi e collinette e ville;
Giunta al confin del cielo,
Dietro Apennino od Alpe, o del Tirreno 10
Nell'infinito seno
Scende la luna; e si scolora il mondo;
Spariscon l'ombre, ed una [5]
Oscurità la valle e il monte imbruna;
Orba [6] la notte resta, 15
E cantando, con mesta melodia,
L'estremo albor della fuggente luce,
Che dianzi gli fu duce [7],
Saluta il carrettier dalla sua via;

Tal si dilegua, e tale 20
Lascia l'età mortale

1. Strofe libere di endecasillabi e settenari. Composto nel 1836, quando il Leopardi era ospite presso la villa Ferrigni, alle falde del Vesuvio.
2. Va unito a *scende la luna* del v. 12; e gli risponde *Tal* del v. 20: come... così.
3. Là dove.
4. Danno forma a. Soggetto è *l'ombra*.
5. Una sola, uniforme.
6. Priva di luce.
7. Guida.

La giovinezza. In fuga
Van l'ombre e le sembianze
Dei dilettosi inganni; e vengon meno
Le lontane speranze, 25
Ove s'appoggia la mortal natura.
Abbandonata, oscura
Resta la vita. In lei porgendo il guardo,
Cerca il confuso viatore invano
Del cammin lungo che avanzar si sente 30
Meta o ragione; e vede
Che a sé l'umana sede,
Esso a lei veramente è fatto estrano.

Troppo felice e lieta
Nostra misera sorte 35
Parve lassù [8], se il giovanile stato,
Dove ogni ben di mille pene è frutto,
Durasse tutto della vita il corso.
Troppo mite decreto
Quel che sentenzia ogni animale a morte, 40
S'anco mezza la via [9]
Lor non si desse in pria
Della terribil morte assai più dura.
D'intelletti immortali
Degno trovato [10], estremo 45
Di tutti i mali, ritrovàr gli eterni
La vecchiezza, ove fosse
Incolume il desio, la speme estinta,
Secche le fonti del piacer, le pene
Maggiori sempre, e non più dato il bene. 50

Voi, collinette e piagge,
Caduto lo splendor che all'occidente
Inargentava della notte il velo,
Orfane [11] ancor gran tempo
Non resterete; che dall'altra parte 55
Tosto vedrete il cielo
Imbiancar novamente, e sorger l'alba;

8. In cielo, agli dei.
9. Non bastava la morte: era necessario che metà della vita, l'età matura e la vecchiaia, fosse peggio della morte.
10. Invenzione.
11. Prive di luce.

Alla qual poscia seguitando il sole,
E folgorando intorno
Con sue fiamme possenti, 60
Di lucidi torrenti
Inonderà con voi gli eterei campi [12].
Ma la vita mortal, poi che la bella
Giovinezza sparì, non si colora
D'altra luce giammai, né d'altra aurora. 65
Vedova è insino al fine; ed alla notte
Che l'altre etadi [13] oscura,
Segno poser gli Dei la sepoltura.

12. Inonderà voi e il cielo con torrenti di luce.
13. La maturità e la vecchiaia, appunto. *Segno*: meta.

XXXIV

LA GINESTRA

O IL FIORE DEL DESERTO [1]

Καὶ ἠγάπησαν οἱ ἄνθρωποι μᾶλλον τὸ σκότος ἢ τὸ φῶς.

E gli uomini vollero piuttosto le tenebre che la luce.

Giovanni, III, 19

Qui su l'arida schiena
Del formidabil [2] monte
Sterminator Vesevo,
La qual [3] null'altro allegra arbor né fiore,
Tuoi cespi solitari intorno spargi, 5
Odorata ginestra,
Contenta [4] dei deserti. Anco ti vidi
De' tuoi steli abbellir l'erme contrade
Che cingon la cittade
La qual fu donna [5] de' mortali un tempo, 10
E del perduto impero
Par che col grave e taciturno aspetto
Faccian fede e ricordo al passeggero.
Or ti riveggo in questo suol, di tristi
Lochi e dal mondo abbandonati amante, 15
E d'afflitte fortune [6] ognor compagna.
Questi campi cosparsi
Di ceneri infeconde, e ricoperti
Dell'impietrata lava,
Che sotto i passi al peregrin risona; 20
Dove s'annida e si contorce al sole
La serpe, e dove al noto
Cavernoso covil torna il coniglio;

1. Strofe libere di endecasillabi e settenari. Composto a Torre del Greco, nel 1836, quando il Leopardi era ospite nella villa Ferrigni alle falde del Vesuvio.
2. Nel suo valore etimologico: che suscita spavento. *Vesevo*: lat., Vesuvio.
3. Cioè la *schiena*, il dorso della montagna; è oggetto di *allegra*.
4. Paga.
5. Lat., signora, dominatrice: Roma.
6. Gloria decaduta.

Fur liete ville e colti [7],
E biondeggiàr di spiche, e risonaro 25
Di muggito d'armenti;
Fur giardini e palagi,
Agli ozi [8] de' potenti
Gradito ospizio; e fur città famose [9],
Che coi torrenti suoi l'altero monte 30
Dall'ignea bocca fulminando oppresse
Con gli abitanti insieme. Or tutto intorno
Una ruina involve [10],
Dove tu siedi, o fior gentile, e quasi
I danni altrui commiserando, al cielo 35
Di dolcissimo odor mandi un profumo,
Che il deserto consola. A queste piagge [11]
Venga colui che d'esaltar con lode
Il nostro stato ha in uso, e vegga quanto
È il gener nostro in cura 40
All'amante natura. E la possanza
Qui con giusta misura
Anco estimar potrà dell'uman seme,
Cui la dura nutrice [12], ov'ei men teme,
Con lieve moto in un momento annulla 45
In parte, e può con moti
Poco men lievi ancor subitamente
Annichilare in tutto.
Dipinte in queste rive
Son dell'umana gente 50
Le magnifiche sorti e progressive [13].

Qui mira e qui ti specchia,

7. Campi coltivati.
8. Come sempre, nel significato latino di "tempo libero dalle occupazioni pubbliche".
9. Ercolano, Pompei e Stabia, distrutte dall'eruzione del 79 d.C.
10. Una sola, uniforme rovina avvolge.
11. Luoghi.
12. La natura; *cui*: che.
13. Sono parole di Terenzio Mamiami, che il Leopardi (tra l'altro era suo cugino) riprende ironicamente; il Mamiani nella *Dedica* del 1832 ai suoi *Inni Sacri*, muovendo dalla tesi secondo la quale « la vita civile comincia dalla religione », parlava poi della legge evangelica come appello agli uomini affinché si amino vicendevolmente « come uguali e fratelli, chiamati a condurre ad effetto con savia reciprocanza di virtù e di fatiche le sorti magnifiche e progressive dell'umanità ». Cfr., in *Appendice*, la Nota dell'A.

Secol superbo e sciocco,
Che il calle insino allora
Dal risorto pensier segnato innanti [14] 55
Abbandonasti, e volti addietro i passi,
Del ritornar ti vanti,
E procedere il chiami.
Al tuo pargoleggiar [15] gl'ingegni tutti.
Di cui lor sorte rea padre ti fece 60
Vanno adulando, ancora
Ch'a ludibrio talora
T'abbian fra sé [16]. Non io
Con tal vergogna scenderò sotterra;
Ma il disprezzo piuttosto che si serra 65
Di te nel petto mio,
Mostrato avrò quanto si possa aperto:
Ben ch'io sappia che obblio
Preme chi troppo all'età propria increbbe [17].
Di questo mal, che teco 70
Mi fia comune, assai finor mi rido.
Libertà vai sognando, e servo a un tempo
Vuoi di novo il pensiero [18],
Sol per cui risorgemmo
Dalla barbarie in parte, e per cui solo 75
Si cresce in civiltà, che sola in meglio
Guida i pubblici fati [19].
Così ti spiacque il vero
Dell'aspra sorte e del depresso loco
Che natura ci diè. Per questo il tergo 80
Vigliaccamente rivolgesti al lume [20]
Che il fe' palese: e, fuggitivo, appelli
Vil chi lui segue, e solo
Magnanimo colui

14. Che hai abbandonata la strada fino ad allora tracciata dal pensiero risorto nel Rinascimento e proseguito nell'Illuminismo.
15. Vaneggiare infantile.
16. Per quanto talora dentro di sé ti scherniscano.
17. Opprime chi troppo è dispiaciuto alla sua età; ma tale oblio colpirà peraltro non solo lui, ma anche il secolo tutto.
18. Ti limiti a sognare la libertà, e intanto operi per asservire nuovamente al dogma il pensiero, grazie al quale soltanto (*sol per cui*) ecc.
19. Le sorti della comunità umana.
20. Il pensiero, appunto, illuministico, che rese palese la verità della condizione umana, non protetta da alcuna provvidenza.

Che sé schernendo o gli altri, astuto o folle, 85
Fin sopra gli astri il mortal grado estolle [21].

Uom di povero stato e membra inferme
Che sia dell'alma generoso ed alto [22],
Non chiama sé né stima
Ricco d'or né gagliardo, 90
E di splendida vita o di valente
Persona infra la gente
Non fa risibil mostra;
Ma sé di forza e di tesor mendico [23]
Lascia parer senza vergogna, e noma 95
Parlando, apertamente, e di sue cose
Fa stima al vero uguale.
Magnanimo animale [24]
Non credo io già, ma stolto,
Quel che nato a perir, nutrito in pene, 100
Dice, a goder son fatto,
E di fetido orgoglio
Empie le carte, eccelsi fati e nove
Felicità, quali il ciel tutto ignora,
Non pur quest'orbe [25], promettendo in terra 105
A popoli che un'onda
Di mar commosso, un fiato
D'aura maligna, un sotterraneo crollo [26]
Distrugge sì che avanza
A gran pena di lor la rimembranza. 110
Nobil natura è quella
Che a sollevar s'ardisce
Gli occhi mortali incontra
Al comun fato, e che con franca lingua,
Nulla al ver detraendo, 115
Confessa il mal che ci fu dato in sorte,
E il basso stato e frale;
Quella che grande e forte

21. Esalta al di sopra delle stelle.
22. Magnanimo e nobile per quanto invece riguarda l'animo.
23. Privo di forza e ricchezza.
24. Essere vivente.
25. Costruisci: promettendo felicità ignorate non solo dalla terra, ma anche dal cielo.
26. Un maremoto (*commosso*: lat., agitato), una pestilenza, un terremoto.

Mostra sé nel soffrir, né gli odii e l'ire
Fraterne, ancor più gravi 120
D'ogni altro danno, accresce
Alle miserie sue, l'uomo incolpando
Del suo dolor, ma dà la colpa a quella
Che veramente è rea, che de' mortali
Madre è di parto e di voler matrigna [27]. 125
Costei chiama inimica; e incontro a questa
Congiunta esser pensando,
Siccome è il vero, ed ordinata in pria [28]
L'umana compagnia,
Tutti fra sé confederati estima 130
Gli uomini, e tutti abbraccia
Con vero amor, porgendo
Valida e pronta ed aspettando aita [29]
Negli alterni perigli e nelle angosce
Della guerra comune. Ed alle offese 135
Dell'uom armar la destra, e laccio porre
Al vicino ed inciampo,
Stolto [30] crede così qual fora in campo
Cinto d'oste contraria, in sul più vivo
Incalzar degli assalti, 140
Gl'inimici obbliando, acerbe gare
Imprender con gli amici,
E sparger fuga e fulminar col brando
Infra i propri guerrieri.
Così fatti pensieri 145
Quando fien, come fur [31], palesi al volgo,
E quell'orror che primo
Contro l'empia natura
Strinse i mortali in social catena,
Fia ricondotto in parte [32] 150
Da verace saper, l'onesto e il retto
Conversar cittadino,
E giustizia e pietade, altra radice

27. La natura.
28. Sin dalle origini.
29. Aiuto, soccorso.
30. Con valore neutro: considera cosa stolta, quale sarebbe, in un campo cinto da esercito nemico, ecc.
31. Quando saranno, come già altra volta furono: intendi, nell'età della rivoluzione francese.
32. Sarà, in parte, rinnovato negli animi dalla conoscenza della verità.

Avranno allor che non superbe fole [33],
Ove fondata probità del volgo 155
Così star suole in piede
Quale star può quel ch'ha in error la sede.

Sovente in queste rive,
Che, desolate, a bruno
Veste il flutto indurato [34], e par che ondeggi, 160
Seggo la notte; e su la mesta landa
In purissimo azzurro
Veggo dall'alto fiammeggiar le stelle,
Cui di lontan fa specchio
Il mare, e tutto di scintille in giro 165
Per lo vòto seren brillare il mondo.
E poi che gli occhi a quelle luci appunto,
Ch'a lor sembrano un punto,
E sono immense, in guisa
Che un punto a petto a lor [35] son terra e mare 170
Veracemente; a cui
L'uomo non pur, ma questo
Globo ove l'uomo è nulla,
Sconosciuto è del tutto; e quando miro
Quegli ancor più senz'alcun fin remoti 175
Nodi quasi di stelle [36],
Ch'a noi paion qual nebbia, a cui non l'uomo
E non la terra sol, ma tutte in uno,
Del numero infinite e della mole,
Con l'aureo sole insiem, le nostre stelle 180
O sono ignote, o così paion come
Essi alla terra, un punto
Di luce nebulosa; al pensier mio
Che sembri allor, o prole
Dell'uomo? E rimembrando 185
Il tuo stato quaggiù, di cui fa segno
Il suol ch'io premo; e poi dall'altra parte,
Che te signora e fine
Credi tu data al Tutto, e quante volte
Favoleggiar ti piacque, in questo oscuro 190

33. Le credenze religiose, che vedono nell'uomo una creatura privilegiata.
34. La lava pietrificata.
35. A confronto di esse.
36. Le nebulose.

Granel di sabbia, il qual di terra ha nome,
Per tua cagion, dell'universe cose
Scender gli autori [37], e conversar sovente
Co' tuoi piacevolmente; e che i derisi
Sogni rinnovellando [38], ai saggi insulta 195
Fin la presente età, che in conoscenza
Ed in civil costume
Sembra tutte avanzar; qual moto allora,
Mortal prole infelice, o qual pensiero
Verso te finalmente il cor m'assale? 200
Non so se il riso o la pietà prevale.

Come d'arbor cadendo un picciol pomo,
Cui [39] là nel tardo autunno
Maturità senz'altra forza atterra,
D'un popol di formiche i dolci alberghi, 205
Cavati in molle gleba [40]
Con gran lavoro, e l'opre
E le ricchezze ch'adunate a prova
Con lungo affaticar l'assidua gente [41]
Avea provvidamente al tempo estivo, 210
Schiaccia, diserta [42] e copre
In un punto; così d'alto piombando,
Dall'utero [43] tonante
Scagliata al ciel profondo,
Di ceneri e di pomici e di sassi 215
Notte e ruina, infusa [44]
Di bollenti ruscelli,
O pel montano fianco
Furiosa tra l'erba
Di liquefatti massi 220
E di metalli e d'infocata arena
Scendendo immensa piena,
Le cittadi che il mar là su l'estremo

37. Ti piacque favoleggiare che scendessero gli dei, interessati alla tua vita.
38. Rinnovando il sogno spiritualistico e antropocentrico, dissolto dalla critica settecentesca.
39. Che: oggetto di *atterra*.
40. Scavati nella molle terra.
41. Che con lunga fatica le laboriose formiche avevano a gara raccolte.
42. Distrugge.
43. Dalle viscere del vulcano.
44. Mescolata.

Lido aspergea [45], confuse
E infranse e ricoperse 225
In pochi istanti: onde su quelle or pasce
La capra, e città nove
Sorgon dall'altra banda [46], a cui sgabello
Son le sepolte, e le prostrate mura
L'arduo [47] monte al suo piè quasi calpesta. 230
Non ha natura al seme
Dell'uom più stima o cura
Che alla formica: e se più rara in quello
Che nell'altra è la strage,
Non avvien ciò d'altronde 235
Fuor che l'uom sue prosapie ha men feconde [48].

Ben mille ed ottocento
Anni varcàr poi che spariro, oppressi
Dall'ignea forza, i popolati seggi [49],
E il villanello intento 240
Ai vigneti, che a stento in questi campi
Nutre la morta zolla e incenerita,
Ancor leva lo sguardo
Sospettoso alla vetta
Fatal, che nulla mai [50] fatta più mite 245
Ancor siede tremenda, ancor minaccia
A lui strage ed ai figli ed agli averi
Lor poverelli. E spesso
Il meschino in sul tetto
Dell'ostel villereccio [51], alla vagante 250
Aura giacendo tutta notte insonne,
E balzando più volte, esplora il corso
Del temuto bollor [52], che si riversa
Dall'inesausto grembo
Su l'arenoso dorso, a cui [53] riluce 255

45. Bagnava.
46. Intendi: dalla parte verso il mare, la terra fu lasciata a pascolo; più sopra, dalla parte verso il monte, sorsero nuovi borghi.
47. Alto, inaccessibile.
48. Per altra ragione, se non perché le generazioni dell'uomo sono meno feconde.
49. Le sedi abitate; *ignea*: del fuoco.
50. Per nulla affatto.
51. Della rustica dimora. *Alla vagante aura*: all'aperto.
52. Della lava.
53. Al bagliore del quale (*bollor*: o anche del *dorso*, ricoperto dalla lava incandescente).

Di Capri la marina
E di Napoli il porto e Mergellina.
E se appressar lo vede, o se nel cupo
Del domestico pozzo ode mai l'acqua
Fervendo gorgogliar, desta i figliuoli, 260
Desta la moglie in fretta, e via, con quanto
Di lor cose rapir posson, fuggendo,
Vede lontan l'usato
Suo nido, e il picciol campo,
Che gli fu dalla fame unico schermo [54], 265
Preda al flutto rovente,
Che crepitando giunge, e inesorato
Durabilmente sovra quei si spiega.
Torna al celeste raggio
Dopo l'antica obblivion l'estinta 270
Pompei, come sepolto
Scheletro, cui di terra
Avarizia o pietà rende all'aperto [55];
E dal deserto foro
Diritto infra le file 275
Dei mozzi colonnati il peregrino
Lunge contempla il bipartito giogo [56]
E la cresta fumante.
Che alla sparsa ruina ancor minaccia.
E nell'orror della secreta [57] notte 280
Per li vacui teatri,
Per li templi deformi [58] e per le rotte
Case, ove i parti il pipistrello asconde,
Come sinistra face
Che per vòti palagi atra s'aggiri, 285
Corre il baglior della funerea lava,
Che di lontan per l'ombre
Rosseggia e i lochi intorno intorno tinge.
Così, dell'uomo ignara e dell'etadi
Ch'ei chiama antiche, e del seguir che fanno 290
Dopo gli avi i nepoti [59],
Sta natura ognor verde, anzi procede

54. Difesa.
55. Che dalla terra la cupidigia o la pietà disseppellisce.
56. Da lontano contempla la doppia cima del massiccio; il Vesuvio, appunto, e il monte Somma.
57. Che tutto cela.
58. Che hanno perso, nella rovina, la loro bellezza.
59. E del succedersi delle generazioni. *Verde*: giovane.

Per sì lungo cammino
Che sembra star [60]. Caggiono i regni intanto,
Passan genti e linguaggi: ella nol vede: 295
E l'uom d'eternità s'arroga il vanto.

E tu, lenta [61] ginestra,
Che di selve odorate
Queste campagne dispogliate adorni,
Anche tu presto alla crudel possanza 300
Soccomberai del sotterraneo foco,
Che ritornando al loco
Già noto, stenderà l'avaro [62] lembo
Su tue molli foreste. E piegherai
Sotto il fascio [63] mortal non renitente 305
Il tuo capo innocente:
Ma non piegato insino allora indarno
Codardamente supplicando innanzi
Al futuro oppressor; ma non eretto
Con forsennato orgoglio inver le stelle, 310
Né sul deserto, dove
E la sede e i natali
Non per voler ma per fortuna [64] avesti;
Ma più saggia, ma tanto
Meno inferma dell'uom, quanto le frali 315
Tue stirpi non credesti
O dal fato o da te fatte immortali.

60. I suoi mutamenti sono così lenti, che sembra immobile. *Caggiono*: cadono.
61. Lat., pieghevole, flessibile. *Selve* (e più sotto *foreste*): cespugli.
62. Lat., avido.
63. Peso. *Non renitente*: senza opporre resistenza.
64. Caso.

XXXV

IMITAZIONE [1]

Lungi dal proprio ramo,
Povera foglia frale,
Dove vai tu? – Dal faggio
Là dov'io nacqui, mi divise il vento.
Esso, tornando, a volo 5
Dal bosco alla campagna,
Dalla valle mi porta alla montagna.
Seco perpetuamente
Vo pellegrina, e tutto l'altro ignoro.
Vo dove ogni altra cosa, 10
Dove naturalmente
Va la foglia di rosa,
E la foglia d'alloro.

1. Libero rifacimento da una favola di A. V. Arnault (1766-1834), che riproduciamo qui sotto e che il Leopardi presumibilmente poté leggere su « Lo Spettatore » del 1818 (XI, 12); ma la composizione del canto va assegnata a una data posteriore al 1828, per il metro usato (strofa libera di endecasillabi e settenari).

LA FEUILLE De ta tige détachée, / Pauvre feuille desséchée, / Où vas-tu? - Je n'en sais rien. / L'orage a brisé le chêne / Qui seul était mon soutien. / De son inconstante haleine / Le zéphir ou l'aquilon / Depuis ce jour me promène / De la forêt à la plaine, / De la montagne au vallon. / Je vais où le vente me mène, / Sans me plaindre ou m'effrayer; / Je vais où va toute chose; / Où va la feuille de rose / Et la feuille de laurier. /

XXXVI

SCHERZO [1]

Quando fanciullo io venni
A pormi con le Muse in disciplina [2],
L'una di quelle mi pigliò per mano;
E poi tutto quel giorno
La [3] mi condusse intorno 5
A veder l'officina.
Mostrommi a parte a parte [4]
Gli strumenti dell'arte,
E i servigi diversi
A che [5] ciascun di loro 10
S'adopra nel lavoro
Delle prose e de' versi.
Io mirava, e chiedea:
Musa, la lima ov'è? Disse la Dea:
La lima è consumata; or facciam senza. 15
Ed io, ma di rifarla
Non vi cal, soggiungea, quand'ella è stanca [6]?
Rispose: hassi a rifar, ma il tempo manca.

1. Strofa libera di endecasillabi e settenari. Composto a Pisa il 15 febbraio 1828.
2. Alla scuola delle Muse.
3. Ella (toscanismo).
4. Uno per uno.
5. I diversi usi ai quali ecc.
6. Non vi preoccupate di rifarla, visto che è logora. *Hassi*: si deve.

FRAMMENTI

XXXVII [1]

ALCETA

Odi, Melisso: io vo' contarti un sogno
Di questa notte, che mi torna a mente
In riveder la luna. Io me ne stava
Alla finestra che risponde [2] al prato,
Guardando in alto: ed ecco all'improvviso 5
Distaccasi la luna; e mi parea
Che quanto nel cader s'approssimava,
Tanto crescesse al guardo; infin che venne
A dar di colpo in mezzo al prato; ed era
Grande quanto una secchia, e di scintille 10
Vomitava una nebbia, che stridea
Sì forte come quando un carbon vivo
Nell'acqua immergi e spegni. Anzi a quel modo
La luna, come ho detto, in mezzo al prato
Si spegneva annerando a poco a poco, 15
E ne fumavan l'erbe intorno intorno.
Allor mirando in ciel, vidi rimaso
Come un barlume, o un'orma, anzi una nicchia,
Ond'ella fosse svelta [3]; in cotal guisa,
Ch'io n'agghiacciava; e ancor non m'assicuro. 20

MELISSO

E ben hai che temer, che agevol cosa
Fora [4] cader la luna in sul tuo campo.

1. Idillio in endecasillabi sciolti. Composto a Recanati nel 1819, fu dapprima pubblicato con il titolo *Lo spavento notturno*.
2. Si affaccia.
3. Di dove fosse stata divelta. *Rimaso*: rimasto.
4. Sarebbe.

ALCETA

Chi sa? non veggiam noi spesso di state [5]
Cader le stelle?

MELISSO

Egli ci ha [6] tante stelle 25
Che picciol danno è cader l'una o l'altra
Di loro, e mille rimaner. Ma sola
Ha questa luna in ciel, che da nessuno
Cader fu vista mai se non in sogno.

5. D'estate.
6. Ci sono: cfr., al v. 28, *Ha*.

XXXVIII [1]

Io qui vagando al limitare intorno [2],
Invan la pioggia invoco e la tempesta,
Acciò che la ritenga al mio soggiorno [3].

Pure il vento muggìa nella foresta,
E muggìa tra le nubi il tuono errante, 5
Pria che l'aurora in ciel fosse ridesta.

O care nubi, o cielo, o terra, o piante,
Parte la donna mia: pietà, se trova
Pietà nel mondo un infelice amante.

O turbine, or ti sveglia, or fate prova 10
Di sommergermi, o nembi, insino a tanto
Che il sole ad altre terre il dì rinnova [4].

S'apre il ciel, cade il soffio, in ogni canto
Posan l'erbe e le frondi, e m'abbarbaglia
Le luci [5] il crudo Sol pregne di pianto. 15

1. Terzine a rime incatenate. Composto a Recanati nel 1818, faceva parte della seconda elegia ispirata dall'amore per Gertrude Cassi.
2. Intorno alla soglia della casa.
3. Affinché trattenga la mia donna a soggiornare con me.
4. Finché il sole non riporterà la luce agli antipodi: per tutta una giornata, dunque.
5. Gli occhi.

XXXIX [1]

Spento il diurno raggio in occidente,
E queto il fumo delle ville, e queta
De' cani era la voce e della gente;

Quand'ella, volta all'amorosa meta [2],
Si ritrovò nel mezzo ad una landa 5
Quanto foss'altra mai vezzosa e lieta.

Spandeva il suo chiaror per ogni banda
La sorella del sole [3], e fea d'argento
Gli arbori ch'a quel loco eran ghirlanda.

I ramuscelli ivan cantando al vento, 10
E in un con l'usignol che sempre piagne
Fra i tronchi un rivo fea dolce lamento.

Limpido il mar da lungi, e le campagne
E le foreste, e tutte ad una ad una
Le cime si scoprian delle montagne. 15

In queta ombra giacea la valle bruna,
E i collicelli intorno rivestia
Del suo candor la rugiadosa luna.

Sola tenea la taciturna via
La donna, e il vento che gli odori spande, 20
Molle passar sul volto si sentia.

1. Terzine a rima incatenata. È l'esordio del c. 1 dell'*Appressamento della morte*, composto a Recanati fra il novembre e il dicembre 1816.
2. Andando verso il convegno amoroso.
3. La luna (Diana sorella di Febo).

Se lieta fosse, è van che tu dimande:
Piacer prendea di quella vista, e il bene
Che il cor le prometteva era più grande.

Come fuggiste, o belle ore serene! 25
Dilettevol quaggiù null'altro dura,
Né si ferma giammai, se non la spene.

Ecco turbar [4] la notte, e farsi oscura
La sembianza del ciel, ch'era sì bella,
E il piacere in colei farsi paura. 30

Un nugol torbo [5], padre di procella,
Sorgea di dietro ai monti, e crescea tanto,
Che più non si scopria luna né stella.

Spiegarsi ella il vedea per ogni canto,
E salir su per l'aria a poco a poco, 35
E far sovra il suo capo a quella ammanto [6].

Veniva il poco lume ognor più fioco;
E intanto al [7] bosco si destava il vento,
Al bosco là del dilettoso loco.

E si fea più gagliardo ogni momento, 40
Tal che a forza era desto e svolazzava
Tra le frondi ogni augel per lo spavento.

E la nube, crescendo, in giù calava
Ver la marina sì, che l'un suo lembo
Toccava i monti, e l'altro il mar toccava. 45

Già tutto a cieca oscuritade in grembo,
S'incominciava udir fremer la pioggia,
E il suon cresceva all'appressar del nembo.

Dentro le nubi in paurosa foggia
Guizzavan lampi, e la fean batter gli occhi; 50

4. Turbarsi.
5. Torbido.
6. E sopra il suo capo oscurare l'aria.
7. Nel.

E n'era il terren tristo, e l'aria roggia [8].

Discior sentia la misera i ginocchi;
E già muggiva il tuon simile al metro [9]
Di torrente che d'alto in giù trabocchi.

Talvolta ella ristava, e l'aer tetro   55
Guardava sbigottita, e poi correa,
Sì che i panni e le chiome ivano addietro [10].

E il duro vento col petto rompea,
Che gocce fredde giù per l'aria nera
In sul volto soffiando le spingea.   60

E il tuon venìale incontro come fera,
Rugghiando orribilmente e senza posa;
E cresceva la pioggia e la bufera.

E d'ogni intorno era terribil cosa
Il volar polve e frondi e rami e sassi,   65
E il suon che immaginar l'alma non osa.

Ella dal lampo affaticati e lassi
Coprendo gli occhi, e stretti i panni al seno,
Gia pur tra il nembo accelerando i passi.

Ma nella vista ancor l'era il baleno   70
Ardendo [11] sì, ch'alfin dallo spavento
Fermò l'andare, e il cor le venne meno.

E si rivolse indietro. E in quel momento
Si spense il lampo, e tornò buio l'etra [12],
Ed acchetossi il tuono, e stette il vento.   75

Taceva il tutto; ed ella era di pietra [13].

8. La terra n'era illuminata sinistramente, e l'aria fatta rossa.
9. Fragore uniforme.
10. Erano spinti indietro dal vento.
11. Ha valore di participio: ardente.
12. L'aria.
13. Morta.

XL

DAL GRECO DI SIMONIDE[1]

Ogni mondano evento
È di Giove in poter, di Giove, o figlio,
Che giusta[2] suo talento
Ogni cosa dispone.
Ma di lunga stagione[3] 5
Nostro cieco pensier s'affanna e cura,
Benché l'umana etate[4],
Come destina il ciel nostra ventura,
Di giorno in giorno dura.
La bella speme tutti ci nutrica[5] 10
Di sembianze beate,
Onde ciascuno indarno s'affatica:
Altri l'aurora amica,
Altri l'etade aspetta[6];
E nullo in terra vive 15
Cui nell'anno avvenir facili e pii
Con Pluto[7] gli altri iddii
La mente non prometta.
Ecco pria che la speme in porto arrive,
Qual da vecchiezza è giunto[8] 20
E qual da morbi al bruno Lete addutto;
Questo il rigido Marte[9], e quello il flutto

1. Strofa libera di endecasillabi e settenari. È la traduzione di un frammento di Simonide d'Amorgo (VII sec. a.C.); composto a Recanati fra il 1823 e il 1824.
2. Secondo.
3. Di un lungo avvenire.
4. La vita umana; *ventura*: sorte.
5. Ci nutre di felici illusioni, per le quali ecc.
6. Chi attende la felicità dal domani, chi da un più lungo avvenire.
7. Dio della ricchezza.
8. Raggiunto. *Lete*: fiume infernale.
9. La guerra. *Pelago*: lat., mare.

Del pelago rapisce; altri consunto
Da negre cure, o tristo nodo al collo
Circondando, sotterra si rifugge [10]. 25
Così di mille mali
I miseri mortali
Volgo [11] fiero e diverso agita e strugge.
Ma per sentenza mia,
Uom saggio e sciolto dal comune errore 30
Patir non sosterria [12],
Né porrebbe al dolore
Ed al mal proprio suo cotanto amore.

10. Si rifugia nella morte.
11. Una moltitudine di mille mali, ecc.
12. Non sopporterebbe di patire.

XLI

DELLO STESSO [1]

Umana cosa picciol tempo dura,
E certissimo detto
Disse il veglio di Chio [2],
Conforme ebber natura
Le foglie e l'uman seme. 5
Ma questa voce in petto
Raccolgon pochi. All'inquieta speme,
Figlia di giovin core,
Tutti prestiam ricetto.
Mentre è vermiglio il fiore 10
Di nostra etade acerba [3],
L'alma vota e superba
Cento dolci pensieri educa invano,
Né morte aspetta né vecchiezza; e nulla
Cura di morbi ha l'uom gagliardo e sano. 15
Ma stolto è chi non vede
La giovanezza come ha ratte l'ale,
E siccome alla culla
Poco il rogo [4] è lontano.
Tu presso a porre il piede 20
In sul varco fatale
Della plutonia sede [5]

1. Strofa libera di endecasillabi e settenari. Traduzione di un frammento di Simonide d'Amorgo (VII sec. a.C.), come pensava il Leopardi; ma forse invece di Simonide di Ceo (556-468). Composto a Recanati fra il 1823 e il 1824.
2. E Omero disse cosa certissima, che ecc. Chio è una delle città che si attribuivano il vanto d'aver dato i natali ad Omero.
3. La giovinezza.
4. La morte.
5. Il regno di Plutone: l'oltretomba.

Ai presenti diletti
La breve età commetti [6].

6. Affida la tua breve vita.

APPENDICE

Aggiungiamo ai *Canti* questo capitolo in terza rima composto a Napoli presumibilmente nel 1836: è una satira degli intellettuali napoletani convertiti al cattolicesimo liberale (e per questo appunto detti « nuovi credenti »). Il Ranieri la escluse dai *Canti* nella sua edizione del 1845, ma non è certo se in questo rispettasse la volontà del poeta, di cui peraltro non abbiamo testimonianza alcuna.

I NUOVI CREDENTI

Ranieri mio, le carte ove l'umana
Vita esprimer tentai, con Salomone
Lei chiamando, qual soglio, acerba e vana,
Spiaccion dal Lavinaio al Chiatamone,
Da Tarsia, da Sant'Elmo insino al Molo, 5
E spiaccion per Toledo alle persone.
Di Chiaia la Riviera, e quei che il suolo
Impinguan del Mercato, e quei che vanno
Per l'erte vie di San Martino a volo;
Capodimonte, e quei che passan l'anno 10
In sul Caffè d'Italia, e in breve accesa
D'un concorde voler tutta in mio danno
S'arma Napoli a gara alla difesa
De' maccheroni suoi; ch'ai maccheroni
Anteposto il morir, troppo le pesa. 15
E comprender non sa, quando son buoni,
Come per virtù lor non sien felici
Borghi, terre, provincie e nazioni.
Che dirò delle triglie e delle alici?
Qual puoi bramar felicità più vera 20
Che far d'ostriche scempio infra gli amici?
Sallo Santa Lucia, quando la sera
Poste le mense, al lume delle stelle,
Vede accorrer le genti a schiera a schiera,
E di frutta di mare empier la pelle. 25
Ma di tutte maggior, piena d'affanno,
Alla vendetta delle cose belle
Sorge la voce di color che sanno,
E che insegnano altrui dentro ai confini
Che il Liri e un doppio mar battendo vanno. 30
Palpa la coscia, ed i pagati crini

Scompiglia in su la fronte, e con quel fiato
Soave, onde attoscar suole i vicini,
  Incontro al dolor mio dal labbro armato
Vibra d'alte sentenze acuti strali 35
Il valoroso Elpidio; il qual beato
  Dell'amor d'una dea che batter l'ali
Vide già dieci lustri, i suoi contenti
A gran ragione omai crede immortali.
  Uso già contra il ciel torcere i denti 40
Finché piacque alla Francia; indi veduto
Altra moda regnar, mutati i venti,
  Alla pietà si volse, e conosciuto
Il ver senz'altre scorte, arse di zelo,
E d'empio a me dà nome e di perduto. 45
  E le giovani donne e l'evangelo
Canta, e le vecchie abbraccia, e la mercede
Di sua molta virtù spera nel cielo.
  Pende dal labbro suo con quella fede
Che il bimbo ha nel dottor, levando il muso 50
Che caprin, per sua grazia, il ciel gli diede,
  Galerio, il buon garzon, che ognor deluso
Cercò quel ch'ha di meglio il mondo rio;
Che da Venere il fato avealo escluso.
  Per sempre escluso: ed ei contento e pio, 55
Loda i raggi del dì, loda la sorte
Del gener nostro, e benedice Iddio.
  E canta; ed or le sale ed or la corte
Empiendo d'armonia, suole in tal forma
Dilettando se stesso, altrui dar morte. 60
  Ed oggi del suo duca egli su l'orma
Movendo, incontro a me fulmini elice
Dal casto petto, che da lui s'informa.
  Bella Italia, bel mondo, età felice,
Dolce stato mortal! grida tossendo 65
Un altro, come quei che sogna e dice;
  A cui per l'ossa e per le vene orrendo
Veleno andò già sciolto, or va commisto
Con Mercurio ed andrà sempre serpendo.
  Questi e molti altri che nimici a Cristo 70
Furo insin oggi, il mio parlare offende,
Perché il vivere io chiamo arido e tristo.
  E in odio mio fedel tutta si rende
Questa falange, e santi detti scocca

Contra chi Giobbe e Salomon difende. 75
Racquetatevi, amici. A voi non tocca
Dell'umana miseria alcuna parte,
Che misera non è la gente sciocca.
Né dissi io questo, o se pur dissi, all'arte
Non sempre appieno esce l'intento, e spesso 80
La penna un poco dal pensier si parte.
Or mia sentenza dichiarando, espresso
Dico, ch'a noia in voi, ch'a doglia alcuna
Non è dagli astri alcun poter concesso.
Non al dolor, perché alla vostra cuna 85
Assiste, e poi sull'asinina stampa
Il piè per ogni via pon la fortuna.
E se talor la vostra vita inciampa,
Come ad alcun di voi, d'ogni cordoglio
Il non sentire e il non saper vi scampa. 90
Noia non puote in voi, ch'a questo scoglio
Rompon l'alme ben nate; a voi tal male
Narrare indarno e non inteso io soglio.
Portici, San Carlin, Villa Reale,
Toledo, e l'arte onde barone è Vito, 95
E quella onde la donna in alto sale,
Pago fanno ad ogni or vostro appetito;
E il cor, che nè gentil cosa, nè rara,
Nè il bel sognò giammai, nè l'infinito.
Voi prodi e forti, a cui la vita è cara, 100
A cui grava il morir; noi femminette,
Cui la morte è in desio, la vita amara.
Voi saggi, voi felici: anime elette
A goder delle cose: in voi natura
Le intenzioni sue vide perfette. 105
Degli uomini e del ciel delizia e cura
Sarete sempre, infin che stabilita
Ignoranza e sciocchezza in cor vi dura:
E durerà, mi penso, almeno in vita.

NOTE DELL'AUTORE

Queste note accompagnavano l'edizione fiorentina e napoletana dei *Canti* del 1832 e del 1835, e fanno quindi parte integrante del testo. L'ultima nota, alla *Ginestra*, comparve ovviamente nell'edizione ranieriana del 1845.

[I. *All'Italia*, v. 79]. Il successo delle Termopile fu celebrato veramente da quello che in essa canzone s'introduce a poetare, cioè da Simonide; tenuto dall'antichità fra gli ottimi poeti lirici, vissuto, che più rileva, ai medesimi tempi della scesa di Serse, e greco di patria. Questo suo fatto, lasciando l'epitaffio riportato da Cicerone e da altri, si dimostra da quello che scrive Diodoro nell'undicesimo libro, dove recita anche certe parole di esso poeta in questo proposito, due o tre delle quali sono espresse nel quinto verso dell'ultima strofe. Rispetto dunque alle predette circostanze del tempo e della persona, e da altra parte riguardando alle qualità della materia per se medesima, io non credo che mai si trovasse argomento più degno di poema lirico, né più fortunato di questo che fu scelto, o più veramente sortito, da Simonide. Perocché se l'impresa delle Termopile fa tanta forza a noi che siamo stranieri verso quelli che l'operarono, e con tutto questo non possiamo tenere le lacrime a leggerla semplicemente come passasse, e ventitré secoli dopo ch'ella è seguita; abbiamo a far congettura di quello che la sua ricordanza dovesse potere in un Greco, e poeta, e dei principali, avendo veduto il fatto, si può dire, cogli occhi propri, andando per le stesse città vincitrici di un esercito molto maggiore di quanti altri si ricorda la storia d'Europa, venendo a parte delle feste, delle maraviglie, del fervore di tutta un'eccellentissima nazione, fatta anche più magnanima della sua natura dalla coscienza della gloria acquistata, e dall'emulazione di tanta virtù dimostrata pur dianzi dai suoi. Per queste considerazioni, riputando a molta disavventura che le cose scritte da Simonide in quella occorrenza, fossero perdute, non ch'io presumessi di riparare a questo danno, ma come per ingannare il desiderio, procurai di rappresentarmi alla mente le disposizioni dell'animo del poeta in quel tempo, e con questo mezzo, salva la disuguaglianza degl'ingegni, tornare a fare il suo canto; del quale io porto questo parere, che o fosse maraviglioso, o la fama di Simonide fosse vana, e gli scritti perissero con poca ingiuria. Lettera a Vincenzo Monti premessa alle edizioni di Roma e di Bologna.

[III. *Ad Angelo Mai*, v. 80]. Di questa fama divulgata anticamente che in Ispagna e in Portogallo, quando il sole tramontava, si udisse di mezzo all'Oceano uno stridore simile a quello che fanno i carboni accesi, o un ferro rovente, quando è tuffato nell'acqua, vedi Cleomede

Circular. doctrin. de sublim. l. 2 c. 1. ed. Bake, Lugd. Bat. 1820. p. 109, seq. Strabone l. 3 ed. Amstel. 1707. p. 202. B. Giovenale Sat. 14. v. 279. Stazio Silv. l. 2, Genethl. Lucani v. 24 seqq. ed Ausonio Epist. 18. v. 2. Floro l. 2 c. 17. parlando delle cose fatte da Decimo Bruto in Portogallo: peragratoque victor Oceani litore, non prius signa convertit, quam cadentem in maria solem, obrutumque aquis ignem, non sine quodam sacrilegii metu, et horrore, deprehendit. Vedi ancora le note degli eruditi a Tacito de Germ. c. 45.

[Ib., v. 96]. Mentre la notizia della rotondità della terra, ed altre simili appartenenti alla cosmografia, furono poco volgari, gli uomini, ricercando quello che si facesse il sole nel tempo della notte, o qual fosse lo stato suo, fecero intorno a questo parecchie belle immaginazioni: e se molti pensarono che la sera il sole si spegnesse, e che la mattina si raccendesse, altri immaginarono che dal tramonto si riposasse e dormisse fino al giorno. Stesicoro ap. Athenaeum l. 11 c. 38. ed. Schweigh. t. 4. p. 237. Antimaco ap. eumd. l. c. p. 238. Eschilo l. c. e più distintamente Mimnermo, poeta greco antichissimo, l. c. cap. 39, p. 239 dice che il sole, dopo calato, si pone a giacere in un letto concavo, a uso di navicella, tutto d'oro, e così dormendo naviga per l'Oceano da ponente a levante. Pitea marsigliese, allegato da Gemino c. 5 in Petav. Uranol. ed. Amst. p. 13. e da Cosma egiziano Topogr. christian. l. 2 ed. Montfauc. p. 149. racconta di non so quali barbari che mostrarono a esso Pitea il luogo dove il sole, secondo loro, si adagiava a dormire. E il Petrarca si accostò a queste tali opinioni volgari in quei versi, Canz. Nella stagion, st. 3.

Quando vede 'l pastor calare i raggi
Del gran pianeta al nido ov'egli alberga.

Siccome in questi altri della medesima Canzone st. 1. seguì la sentenza di quei filosofi che per virtù di raziocinio e di congettura indovinavano gli antipodi.

Nella stagion che 'l ciel rapido inchina
Verso occidente, e che 'l dì nostro vola
A gente che di là forse l'aspetta.

Dove quel *forse*, che oggi non si potrebbe dire, fu sommamente poetico; perché dava facoltà al lettore di rappresentarsi quella gente sconosciuta a suo modo, o di averla in tutto per favolosa: donde si dee credere che, leggendo questi versi, nascessero di quelle concezioni vaghe e indeterminate, che sono effetto principalissimo ed essenziale delle bellezze poetiche, anzi di tutte le maggiori bellezze del mondo.

[Ib., v. 132]. Di qui alla fine della stanza si ha riguardo alla congiuntura della morte del Tasso, accaduta in tempo che erano per incoronarlo poeta in Campidoglio.

[VI. *Bruto Minore*, v. 1: *tracia*]. Si usa qui la licenza, usata da diversi autori antichi, di attribuire alla Tracia la città e la battaglia di Filippi, che veramente furono nella Macedonia. Similmente nel nono Canto si seguita la tradizione volgare intorno agli amori infelici di Saffo poetessa, benché il Visconti ed altri critici moderni distinguano due Saffo; l'una famosa per la sua lira, e l'altra per l'amore sfortunato di Faone; quella contemporanea d'Alceo, e questa più moderna.

[VII. *Alla Primavera*, v. 29]. La stanchezza, il riposo e il silenzio che regnano nelle città, e più nelle campagne, sull'ora del mezzogiorno, rendettero quell'ora agli antichi misteriosa e secreta come quelle della notte: onde fu creduto che sul mezzodì più specialmente si facessero vedere o sentire gli Dei, le ninfe, i silvani, i fauni e le anime de' morti; come apparisce da Teocrito Idyll. 1. v. 15. seqq. Lucano l. 3. v. 422. seqq. Filostrato Heroic. c. 1, § 4. opp. ed. Olear. p. 671. Porfirio de antro nymph. c. 26 seq. Servio ad Georg. l. 4. v. 401. e dalla Vita di san Paolo primo eremita scritta da san Girolamo c. 6. in vit. Patr. Rosweyd. l. 1, p. 18. Vedi ancora il Meursio Auctar. philolog. c. 6. colle note del Lami opp. Meurs. Florent. vol. 5, col. 733. il Barth Animadv. ad Stat. part. 2, p. 1081. e le cose disputate dai commentatori, e nominatamente dal Calmet, in proposito del demonio meridiano della Scrittura volgata Psal. 90, v. 6. Circa all'opinione che le ninfe e le dee sull'ora del mezzogiorno si scendessero a lavare ne' fiumi e ne' fonti, vedi Callimaco in lavacr. Pall. v. 71 seqq. e quanto propriamente a Diana, Ovidio Metam. l. 3, v. 144 seqq.

[VIII. *Ai Patriarchi*, v. 46-7]. Egressusque Cain a facie Domini, habitavit profugus in terra ad orientalem plagam Eden. Et aedificavit civitatem. Genes. c. 4, v. 16.

[Ib., v. ultimo]. È quasi superfluo ricordare che la California è posta nell'ultimo termine occidentale di terra ferma. Si tiene che i Californi sieno, tra le nazioni conosciute, la più lontana dalla civiltà, e la più indocile alla medesima.

[XXIII. *Canto notturno di un pastore errante dell'Asia*]. Plusieurs d'entre eux (parla di una delle nazioni erranti dell'Asia) passent la nuit assis sur une pierre à regarder la lune, et à improviser des paroles assez tristes sur des airs qui ne le sont pas moins. Il Barone di Meyendorff Voyage d'Orenbourg à Boukhara, fait en 1820, appresso il giornale des Savans 1826. septembre p. 518.

[Ib. v. 132]. Il signor Bothe, traducendo in bei versi tedeschi questo componimento, accusa gli ultimi sette versi della presente stanza di tautologia, cioè di ripetizione delle cose dette avanti. Segue il pastore: ancor io provo pochi piaceri (godo ancor poco); né mi lagno di questo solo, cioè che il piacere mi manchi; mi lagno dei patimenti che provo, cioè della noia. Questo non era detto avanti. Poi, conchiudendo, riduce in termini brevi la quistione trattata in tutta la stanza; perché gli animali non s'annoino, e l'uomo sì: la quale se fosse tautologia, tutte quelle conchiusioni dove per evidenza si riepiloga il discorso, sarebbero tautologie.

[XXXII. *Palinodia*, v. 34: *boa*]. Pelliccia in figura di serpente, detta dal tremendo rettile di questo nome, nota alle donne gentili de' tempi nostri. Ma come la cosa è uscita di moda, potrebbe anche il senso della parola andare fra poco in dimenticanza. Però non sarà superflua questa noterella.

[XXXIV. *La Ginestra*, v. 51]. Parole di un moderno, al quale è dovuta tutta la loro eleganza.

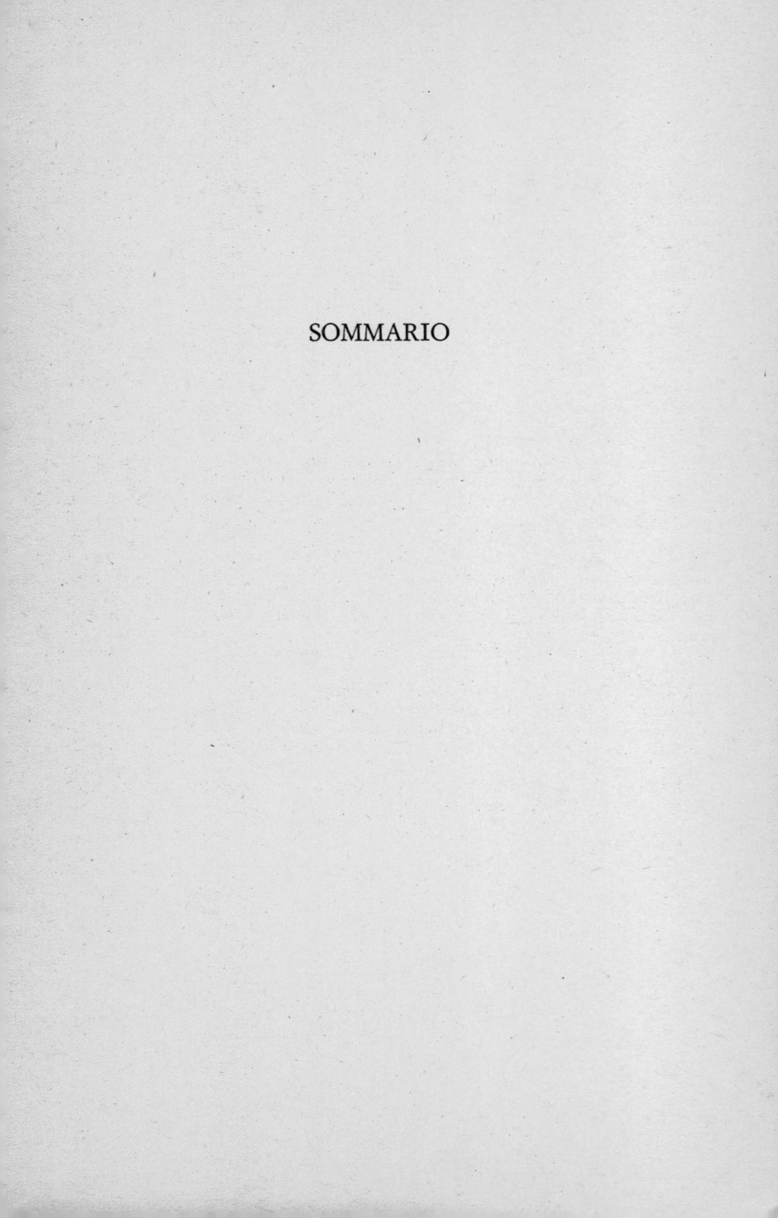

SOMMARIO

Finito di stampare nel mese di gennaio 1988
dalla RCS Rizzoli Libri S.p.A. - Via A. Scarsellini, 17 - 20161 Milano

Printed in Italy

BUR
Periodico settimanale: 25 febbraio 1988
Direttore responsabile: Evaldo Violo
Registr. Trib. di Milano n. 68 del 1°-3-74
Spedizione abbonamento postale TR edit.
Aut. n. 51804 del 30-7-46 della Direzione PP.TT. di Milano

ANNOTAZIONI

ANNOTAZIONI

ANNOTAZIONI

ANNOTAZIONI

ANNOTAZIONI

ANNOTAZIONI

ANNOTAZIONI